Tarô do Cigano

J. Della Monica

Tarô
do
Cigano

MADRAS®

© 2024, Madras Editora Ltda.

Editor:
Wagner Veneziani Costa (*in memoriam*)

Produção e Capa:
Equipe Técnica Madras

Revisão:
Arlete Genari
Flávia Ramalhete

Dados Internacionais de Catalogação na Publicação (CIP)
(Câmara Brasileira do Livro, SP, Brasil)

Dellamonica, J.
Tarô cigano/J. Dellamonica. – 26. ed. – São Paulo: Madras, 2024.
ISBN 978-85-370-0260-5
1. Cartomancia 2. Ocultismo 3. Oráculos
4. Sorte – Leitura 5. Tarô I. Título.

07-6254   CDD-133.32424

Índices para catálogo sistemático:

1. Tarô : Artes divinatórias: Ciências esotéricas
133.32424

É proibida a reprodução total ou parcial desta obra, de qualquer forma ou por qualquer meio eletrônico, mecânico, inclusive por meio de processos xerográficos, incluindo ainda o uso da internet, sem a permissão expressa da Madras Editora, na pessoa de seu editor (Lei nº 9.610, de 19.2.98).

Todos os direitos desta edição reservados pela

MADRAS EDITORA LTDA.
Rua Paulo Gonçalves, 88 – Santana
CEP: 02403-020 – São Paulo/SP
Tel.: (11) 2281-5555 – (11) 98128-7754
www.madras.com.br

Índice

Como Surgiu o Tarô 7
A Origem do Tarô Cigano 9
A Natureza e suas Forças 13
Os Elementais 15
    A Água 15
    A Terra 16
    O Fogo 17
    O Ar 18
    O Éter 19
O Método de Leitura 21
Interpretação dos Diagramas do Tarô Cigano 23
As Cartas e o Jogo 25
    Carta nº 1 – O Mensageiro 25/139
    Carta nº 2 – Os Obstáculos 32/140
    Carta nº 3 – O Mar 38/140
    Carta nº 4 – O Equilíbrio 45/141
    Carta nº 5 – As Árvores 51/142
    Carta nº 6 – Os Ventos 56/142

Carta nº 7 – Arco-Íris 61/147
Carta nº 8 – As Perdas 66/144
Carta nº 9 – A Chuva 71/144
Carta nº 10 – As Transformações 75/145
Carta nº 11 – A Magia 79/146
Carta nº 12 – As Alegrias 83/146
Carta nº 13 – A Criança 87/147
Carta nº 14 – As Armadilhas 91/148
Carta nº 15 – As Falsidades 94/148
Carta nº 16 – A Sorte 98/149
Carta nº 17 – As Novidades 101/149
Carta nº 18 – O Aliado 104/150
Carta nº 19 – A Espiritualidade 107/150
Carta nº 20 – As Ervas 111/151
Carta nº 21 – As Pedras 113/152
Carta nº 22 – Os Caminhos 116/153
Carta nº 23 – Os Desgastes 119/153
Carta nº 24 – Os Sentimentos 121/154
Carta nº 25 – As Alianças 123/154
Carta nº 26 – Os Livros 125/155
Carta nº 27 – O Aviso 127/155
Carta nº 28 – O Cigano 129/156
Carta nº 29 – A Cigana 131/156
Carta nº 30 – Os Rios 132/157
Carta nº 31 – O Sol 134/157
Carta nº 32 – As Honrarias 135/158
Carta nº 33 – As Soluções 136/158
Carta nº 34 – A Matéria 136/159
Carta nº 35 – A Segurança 137/159
Carta nº 36 – A Vitória 160

As Cartas 139

Como Surgiu o Tarô

Existem várias lendas e histórias envolvendo a origem do Tarô. A que mais parece estar próxima da verdade é a que conta que algum tempo antes de a Atlântida sumir, engolida pelo oceano, vários sábios, antevendo a inevitável tragédia, saíram procurando outros povos a fim de transmitir-lhes seus ensinamentos. Muitos desses sábios conseguiram alcançar o Egito e revelaram aos sacerdotes de lá todo o conhecimento da misteriosa civilização atlante.

Para evitar o mau uso de todos esses conhecimentos, os sacerdotes egípcios os revelavam apenas a seus discípulos. No entanto, essa precaução aumentou quando o Egito passou a ser invadido por outros povos. A fim de preservar seus conhecimentos, os sacerdotes decidiram gravá-los em lâminas de metal, sob a forma de símbolos, que só poderiam ser compreendidos por aqueles que lograssem decifrá-los.

O Tarô foi criado desta maneira, reunindo um conjunto de figuras, desenhos e símbolos, em 78 cartas, que resumem informações a respeito da história das religiões, do saber humano e da relação do homem com a energia de Deus.

O tempo foi passando e o Tarô tornou-se mais conhecido como um instrumento divinatório e de leitura do destino. Os pesquisadores dizem que usar as cartas do Tarô apenas como uma espécie de passatempo, é perda de tempo. Eles afirmam que as lâminas ajudam a desvendar todos os mistérios do homem, da natureza e de Deus. O Tarô, desde que foi concebido, passou por várias mudanças e influências, dependendo do país onde era usado, mas, mesmo assim, manteve sua função original: um instrumento que servia a ocultistas e magos, conservando alguns de seus símbolos originais.

As cartas do Tarô foram redesenhadas diversas vezes em várias versões e mostram figuras do Egito antigo, influências de ciganos, caracteres do alfabeto hebraico e de outros tantos povos. No século XVIII, na França, surgiu a versão do Tarô conhecida até hoje como o Tarô de Marselha, muito popular no mundo inteiro.

O Tarô também passou a chamar a atenção de cientistas, como o psicólogo Carl Gustav Jung, de origem suíça, nascido no ano de 1875. Após uma ampla análise dos símbolos e mitos em diversas religiões, somou suas pesquisas com as experiências clínicas e acabou desenvolvendo a teoria do inconsciente coletivo, que diz que todos os seres humanos teriam, em sua mente inconsciente, símbolos, referenciais, vontades e medos iguais, uns em relação aos outros.

Por fim, Jung percebeu que o Tarô dispunha desses símbolos, presentes no inconsciente de todas as pessoas, e afirmou ser ele um eficaz instrumento para que o ser humano se conheça mais. Até hoje, os ensinamentos ocultos nas 78 cartas são constantemente pesquisados e há muito para se ler a respeito do assunto.

A Origem do Tarô Cigano

Junho de 1879. O professor de Matemática e Estatística Jean Pierre Dunant, um francês, então com 32 anos, viajava pela Hungria, em busca de um raríssimo livro a respeito da vida de Pitágoras, o Pai da Matemática. Mas Jean Pierre mirou num passarinho e acabou acertando outro. E ao entrar numa livraria na rua Vajva, que hoje não existe mais, em Budapeste, ele viu sobre o balcão, próximo a alguns livros de Filosofia, uma série de papéis rabiscados. Curioso como era, resolveu dar "uma olhadinha". À medida que ia lendo, o que lia lhe prendia a atenção.

Minutos mais tarde, o dono da livraria chegou ao balcão, vindo dos fundos, e sem ao menos dizer "boa-tarde" ao professor Jean Pierre, disse-lhe apenas estas palavras: "O senhor acaba de encontrar o que estava procurando". Jean Pierre olhou sobressaltado para o livreiro e disse que estava em busca de um livro raríssimo sobre a vida de Pitágoras.

O velho livreiro deu um sorrisinho e tornou a dizer: "O senhor acaba de encontrar o que estava procurando". Unindo as palavras aos atos, apanhou todas aquelas folhas rabiscadas e as entregou ao professor. Como Jean Pierre estava gostando do que lia, até ser interrompido pela chegada do livreiro, aceitou, meteu a mão no bolso da calça e perguntou: "Quanto lhe devo, senhor?". O livreiro, mais uma vez, sorriu enigmático e disse: "A mim? Nada. Após ler o que está escrito nessas folhas, saberá o que fazer". Disse isso, virou as costas para o professor e voltou para os fundos da livraria. Jean Pierre saiu dali, levando as folhas e sem entender nada.

Julho de 1879. Jean Pierre agora já sabia o que deveria ser feito com aquelas folhas. Elas, simplesmente, retratavam a história e a magia de um povo considerado até hoje como sendo misterioso: os ciganos. Naquelas folhas também havia dezenas de métodos divinatórios. O problema era que Jean Pierre não acreditava em tais coisas. Achava que a Matemática podia explicar qualquer coincidência, qualquer espécie de profecia. Mas alguma coisa fez com que ele começasse a pesquisar sobre o assunto.

Setembro de 1879. Após dois incansáveis meses de leitura e pesquisa em cima do que havia lido naquelas folhas tão mal rabiscadas, Jean Pierre tomou uma decisão: procuraria, onde quer que fosse, um grupo de ciganos e tentaria conviver algum tempo com eles, a fim de comprovar a veracidade do que lera.

Janeiro de 1880. Viajando pela Romênia, agora em busca de um grupo de ciganos, Jean Pierre finalmente obteve êxito em sua empreitada. Ao entrar em Bucareste, enfrentando um frio de − 14 °C, Jean Pierre instalou-se numa estalagem. Rapidamente, tornou-se amigo do estalajadeiro e comentou que estava atrás de ciganos. O dono do estabelecimento, em troca de algumas moedas, deu-lhe a direção de um grupo de ciganos que, dias antes, havia passado por ali. Jean Pierre dorrniu aquela noite ali, na estalagem, e, no dia seguinte, partiu cedo, atrás dos ciganos.

Meados de janeiro de 1880. Jean Pierre encontrou um grupo de ciganos acampado à beira de uma estrada deserta. Aproximou-se todo informal e, a princípio, foi recebido de maneira hostil. Tratou logo de se explicar e disse que gostaria de escrever alguma coisa sobre eles. Os ciganos, como sempre muito arredios, não gostaram da ideia e capturaram Jean Pierre, mantendo-o preso durante muitos meses.

Abril de 1881. Jean Pierre, aos poucos, conquistou a simpatia do clã cigano que o havia aprisionado e ganhou a liberdade. O chefe do grupo mandou que ele partisse. Jean Pierre implorou, de joelhos, para ficar com eles e voltou a falar no livro que queria escrever. Os ciganos se reuniram e, por unanimidade, decidiram permitir que Jean Pierre participasse do cotidiano do clã.

Setembro de 1885. Jean Pierre, munido de muitas informações, partiu para Paris. De volta à sua casa, organizou todo o material que anotou nas suas andanças e no tempo em que ficou com os ciganos. Fez cálculos e mais cálculos, chegando a conclusão de que os ciganos tinham um poder fora-do-comum para adivinhar as coisas. Como Jean Pierre ainda tinha as tais folhas mal rabiscadas em seu poder, sentou-se e começou a escrever um livro, cujo título era *O Único e Verdadeiro Livro do Tarô Cigano*.

Dezembro de 1885. Jean Pierre terminou de escrever o livro, que continha mais de 200 páginas manuscritas. Foi aí que ele procurou um tipógrafo, pois tinha em mente publicar o seu livro e torná-lo conhecido nacionalmente. Isso foi impossível, pois o tipógrafo pediu uma quantia muito alta em dinheiro, alegando que o serviço seria duro e cansativo. Jean Pierre tentou argumentar, mas o tipógrafo permaneceu irredutível: afinal, ele vivia disso.

Janeiro de 1886. Jean Pierre faleceu em Paris, aos 39 anos de idade, sem deixar bens ou propriedades, apenas o rascunho de um livro sobre Tarô Cigano.

Maio de 1958. O pesquisador espanhol Juan Garcia Chavez, em viagem a Hungria, entra numa livraria, à procura de um livro qualquer, e encontra em cima do balcão, em meio a outros livros velhos e despedaçados, o rascunho do livro do professor Jean Pierre. Ele folheia o "livro" e na hora se interessa pelo assunto. O dono do estabelecimento chega, e Juan Garcia pergunta: "Quanto custa isto aqui?". O livreiro dá uma risada e responde: "Essa porcaria? Isso estava nos fundos da minha livraria há muitos anos. Hoje, fiz uma limpeza e ia jogar toda essa tralha no lixo. Se quiser, pode levar".

Juan Garcia ainda deixou algum dinheiro em cima do balcão da livraria e foi embora. Chegou no seu local de trabalho, pegou o telefone e chamou seu assistente. Quando este entrou na sala, Juan Garcia pegou o rascunho do livro sobre Tarô Cigano e o entregou ao assistente, dizendo: "Copie na máquina e depois mande rodar".

Juan Garcia era dono de uma editora de médio porte. Ele mandou imprimir 5 mil exemplares do livro. A vendagem foi um sucesso. Então, mandou imprimir mais 5 mil. Novamente, um sucesso. Antes que ele mandasse imprimir outros tantos mil exemplares, teve problemas de saúde e faleceu. Algumas horas antes de sua morte, Juan Garcia ficou sabendo, por meio de uma cigana, que ele havia sido um professor de Matemática e Estatística, um francês, que tinha vivido no século XIX...

Hoje, após mais de 40 anos do falecimento do espanhol Juan Garcia, estamos oferecendo ao público leitor uma chance ímpar de conhecer tudo a respeito do verdadeiro Tarô Cigano. Algumas adaptações precisaram ser feitas, é verdade. Os costumes europeus diferem muito dos nossos, mas isso não tirou a beleza e a força desta maravilhosa arte divinatória.

A Natureza e suas Forças

Quando se põe o Tarô Cigano para o consulente, cria-se um campo mágico com poderes divinatórios. São as forças vivas e vibratórias que desempenham uma importante função neste processo, durante todo o seu transcorrer.

No planeta em que vivemos, sofremos a ação de diversas forças da natureza. Isso acontece todos os dias, todas as horas, todos os minutos, todo instante. É impossível fugir disso. A magia possui o seu mistério, que é o de manter o equilíbrio com o nosso interior. Estando em equilíbrio, temos a capacidade de atrair coisas boas e repelir aquelas que nos são prejudiciais. Não há um "destino escrito" para cada pessoa. O que existe, na verdade, é um "caminho a ser percorrido". Dotados do "livre-arbítrio", os seres humanos tem o poder de escolher tal caminho. Também existem o "carma positivo" e o "carma negativo". O positivo está relacionado com as pessoas que se amaram em vidas passadas; o negativo, por sua vez, diz respeito aos que eram inimigos em encarnações anteriores.

Devido a isso, somos responsáveis por todas as escolhas que fazemos.

Os Elementais

Gnomos, duendes, salamandras, ondinas, silfos são muito conhecidos entre os estudiosos e praticantes da Cabala. Na verdade, eles são conhecidos como elementais e são, por extensão, as "almas dos espíritos". Representam a potência dos elementos, comandando sua manifestação própria. Atuam numa sintonia evolutiva bem diferente da dos seres humanos.

Os elementais encontram-se na escala angélica, do mesmo modo que os sete planos espirituais, gerando a evolução da vida e da forma do planeta em que vivemos. Acima dos elementais, na ordem hierárquica, podemos encontrar os Devas Maiores, os anjos e os arcanjos.

Os elementos tem uma forma semelhante à humana e são constituídos de luz. Utilizam-se de duas formas para se apresentarem: no veículo etéreo ou no corpo astral.

A Água

Elementais: nereidas, ondinas

É um elemento da natureza tido como feminino e passivo, que se estende a toda matéria em estado líquido. É o símbolo universal do princípio feminino, do inconsciente e das emoções.

Está sempre relacionado aos conceitos da maternidade, da fertilização e de geração.

A água é um fluido denso e uma essência de natureza fluídica. Seu valor é inestimável e incontestável. Sem água, nenhum ser vivo consegue viver.

Nos rituais mágicos, a água tem valores específicos de acordo com cada etapa do ciclo das águas da natureza.

A água do mar, salgada, está relacionada a Iemanjá. O sal sempre desempenhou funções importantes e é muito valorizado por possuir poderes mágicos, já que tem a particularidade de conservar alimentos e, ainda, é um símbolo que acompanha a água. Nos rituais de exorcismo, sua presença é sempre destacada. A força viva e vibratória do mar tem a propriedade de receber os "lixos" físicos e espirituais. Quando se coloca objetos no mar, tenciona-se remetê-los ao caos inicial, que é representado pelas águas marinhas ou a Grande Mãe.

A água doce, relacionada a Oxum, representa a beleza, o amor, a bondade e a riqueza da vida material e espiritual. É um elemento condutor de energia vibratória; um agente mágico que liga outra vez o ser humano a Deus, por meio do ritual do batismo.

As ondinas pertencem à água. Podem ser encontradas em córregos, rios, lagoas, lagos, mares e oceanos. Sua forma é feminina. Não são dotadas de asas e sua beleza é fulminante. Elas costumam se encontrar nas cachoeiras e é ali que se realiza o ritual de purificação da magia do Povo do Oriente.

A Terra

Elementais: gnomos, duentes

É um elemento da natureza tido como feminino e passivo. Tem duas partes essenciais: a terrena, que é imóvel, e a inferior, fixa. Este elemento se manifesta de maneira sólida e tem a propriedade de receber descargas material e etéreas. A Terra é um elemento mágico de transformação e o seu interior contém os segredos da purificação pela transformação, atuando como "filtro magnético", retendo as impurezas e liberando as purezas.

Na Terra, atuam os gnomos e duendes, que tratam de cuidar de sua fecundidade, dos cristais, das pedras, bem como dos metais tidos como preciosos. Alguns evoluem e se tornam anjos, que comandam áreas de grandes e crescente dimensões, moldando as formas mais densas ou sólidas da natureza.

A Terra contém uma espécie de energia que possibilita à pessoa descarregar forças negativas que lhe foram dirigidas por alguma coisa ou até mesmo por uma pessoa.

O Fogo

Elementais: Salamandras

É um elemento da natureza tido como masculino e ativo. De todos os elementos, o fogo é o que se vê mais relacionado às religiões, isso desde os tempos da pré-história. O fogo simboliza a própria alma e a vida humana.

Ele é invisível e, ao mesmo tempo, visível: distinguível e indistinguível: é uma chama real e espiritual, que se faz presente por meio de uma chama material e substancial.

O fogo simboliza a vida e a morte, o começo e o término de todas as coisas. É um dos mais importantes símbolos de regeneração e transformação.

Para as ciências esotéricas, é a representação ou reflexo da "Chama Viva", princípio divino considerado o maior emblema de toda a humanidade.

O fogo é considerado pela magia como o mais misterioso e enigmático dos quatro elementos. Apresenta uma energia bastante poderosa. A essência ígnea não aparece com tanta evidência como o ar. No mundo visível, o fogo só se mostra sob sua forma de luz. Somente tal modalidade é chamada corriqueiramente de fogo. Os místicos afirmam que o fogo é um elemento com potência e duração. Pode-se acreditar que o fogo preexiste às suas manifestações, sob as formas de chama, luz e calor. Há outras modalidades sutis de manifestação do fogo, sendo que sua percepção acontece por meio de emoções e imagens da alma. O fogo também apresenta uma série de simbologias: é a Energia Motora do Cosmos, a Energia Sexual, o Poder Divino, a Afetividade, a Ternura e, inclusive, a Agressão. O fogo que arde na vela representa o elo matéria-espírito, Homem-Deus.

As salamandras são, na verdade, os espíritos do fogo e assomam sob a forma de correntes de energia ígnea, jamais tomando formas humanas.

O Ar

Elementais: elfos, fadas, silfos

É um elemento da natureza tido como masculino e ativo e é considerado o primeiro elemento. Tem dupla natureza: é tangível e intangível; também volatil, conhecido como Ar Espiritual. É aquilo que respiramos e que está representado pelas defumações.

A forma astral baseia-se em uma aura esférica, cheia de cores, e dotada de grande energia, o que permite um sentido de individualidade. Nas florestas, governadas por Oxóssi, existem as belas dríades, cujos cabelos são longos e luminosos. Elas atuam diretamente nas árvores. As fadas manipulam, a clorofila das plantas por meio de suas evoluções constantes. Os elfos sobrevoam os campos e estão relacionados à vida das células das ervas e da relva. Os silfos, por sua vez, possuem asas, que abrangem todo o seu corpo etéreo.

O incenso é dotado de uma força mágica importante. Ele representa o ato de liberação da forma por meio de sua instantânea dissolução no ar, sob uma forma espiralada, o que dá ao elemento Ar condições de atuar como mediador entre o Mundo Espiritual e o Mundo da Forma.

O Éter

Em todos os rituais mágicos, incluindo o Tarô Cigano, juntamos elementos materiais aos elementos espirituais e assim geramos um "clima mágico", propício para que a magia se apresente e ocorra.

Quando o ritual do Povo do Oriente é realizado, cria-se uma força magnética, que se movimenta no éter, onde a luz permite o equilíbrio dos opostos e faz com que a magia se manifeste.

O Método de Leitura

PRIMEIRO MÉTODO

1. Embaralhar o TARÔ CIGANO, fazendo as devidas saudações a todo o Povo do Oriente e dizendo, firmemente, três vezes o nome da pessoa para quem está tirando as cartas.
2. Dispor o TARÔ CIGANO na mesa e pedir que a pessoa "corte" o monte em três partes, mas usando a MÃO DIREITA.
3. Reunir as partes do TARÔ CIGANO e distribuir as cartas, sendo que as figuras simbólicas devem estar voltadas para baixo, de modo que formem quatro LINHAS HORIZONTAIS, COM NOVE CARTAS EM CADA LINHA. A esse diagrama dá-se o nome de JOGO COMPLETO ou JOGO MAIOR.
4. Interpreta-se a leitura das cartas do TARÔ CIGANO a partir do sistema de "ideogramas", isto é, dois símbolos que juntos formam uma terceira ideia. No entanto, as cartas devem ser abertas de duas em duas, desta maneira:

A primeira carta da primeira linha com a última carta da quarta linha;

A segunda carta da primeira linha com a penúltima carta da quarta linha;

A terceira carta da primeira linha com a antepenúltima carta da quarta linha, etc.

5. Quando todas as cartas forem desviradas, começam as interpretações propriamente ditas. Primeiro, interpretam-se as mensagens que estão nas linhas horizontais. Em seguida, as que se encontram nas linhas verticais e, por fim, as mensagens contidas nas linhas diagonais. As cartas circundantes de cada assunto a ser pesquisado devem ser interpretadas também. O jogo só poderá ser desfeito após se anotar nome, endereço e data de nascimento do consulente.

6. Quando se retira os "quatro cantos" do jogo completo, segue-se o resumo das informações. É aí que surge a mensagem ou IDEIA PRINCIPAL do jogo. Esta deve ser interpretada para a pessoa que está ansiosa para conhecer o que o futuro lhe reserva.

7. Se, por acaso, quiser especificar um determinado assunto, sugere-se que se monte uma MANDALA, pondo no meio o assunto que será pesquisado com maiores detalhes. Depois, pede-se ao consulente que tire cinco cartas do TARÔ CIGANO, que serão postas desta maneira:

Uma em cima da carta principal (a que se relaciona ao assunto); as demais cartas ficarão ao redor desta, o que fará com que se forme uma CRUZ.

8. Após as perguntas terem sido todas respondidas, por meio de mandalas específicas, deve-se abrir uma MANDALA com a carta da ESTRELA no centro, que servirá de CONCLUSÃO ou MENSAGEM FINAL.

9. Para finalizar a leitura do TARÔ CIGANO, deve-se elevar uma prece a Deus e a todos aqueles que pertencem ao Povo do Oriente, pedindo proteção para si mesmo(a) e para o(a) cunsulente.

Interpretação dos Diagramas do Tarô Cigano

Como foi dito anteriormente, a interpretação das cartas do TARÔ CIGANO é feita por meio de IDEOGRAMAS, que são duas ideias diferentes, que formam uma MENSAGEM ESPECÍFICA.

A interpretação passo-a-passo:

a) Desvire a 1ª carta da 1ª linha – no sentido da esquerda para a direita;

b) Desvire a ÚLTIMA CARTA da 4ª linha (da direita para a esquerda);

c) Vá fazendo isso, até que todas as cartas estejam desviradas;

d) Depois, serão interpretadas as linhas diagonais, verticais e horizontais.

e) A seguir, as combinações possíveis de cada carta no TARÔ CIGANO.

As Cartas e o Jogo

Carta nº 1 – O Mensageiro

Força Viva e Vibratória da Kundalini – Exu

1 e 2 (Os Obstáculos)

Obstáculos que atrapalham as realizações.
Necessita concretizar alguma coisa para tirar os obstáculos da frente.
Precisa passar por cima de obstáculos a fim de materializar os objetivos.

1 e 3 (O Mar)
Mudanças ou viagens que estão prestes a se confirmar.
Necessita fazer mudanças ou viagens para realizar metas.
Precisa concretizar ideias para realizar viagens e fazer mudanças.

1 e 4 (O Equilíbrio)

O Equilíbrio trazendo realizações.
Necessita de equilíbrio para que se possa materializar ideais.
Precisa realizar os objetivos, a fim de obter o equilíbrio.
Realizações em casa ou na família.

1 e 5 (As Árvores)

Você divide realizações.
Necessita realizar alguma coisa para poder dividir.
Necessita dividir para conseguir realizar metas.

1 e 6 (As Nuvens)

Diversas turbulências que afetam as realizações.
Necessita concretizar metas para pôr de lado as turbulências.
Precisa passar pelas turbulências, a fim de materializar objetivos.

1 e 7 (O Arco-Íris)

Discórdias, desavenças que interferem negativamente nas materializações.
Necessita realizar objetivos para se livrar das discórdias.
Precisa afastar discórdia, a fim de realizar as metas propostas.

1 e 8 (A Perda)

Grandes perdas que afetam as realizações.
Necessita se livrar das perdas para conseguir realizar.
Precisa materializar alguma coisa para vencer as perdas.
Você não está conseguindo realizar coisa alguma.

1 e 9 (A Chuva)

Realizações que trazem muitas alegrias.
Necessita realizar alguma coisa para conseguir alegrias profundas.
Muitas alegrias que auxiliam na concretização de metas.
Precisa de alegrias para conseguir o êxito desejado.

1 e 10 (As Transformações)

Realizações para trazer consigo transformações profundas.
Necessita operar transformações para lograr a concretização de algo.
Precisa realizar certas transformações.
Transformações profundas, que trazem concretizações.

1 e 11 (A Magia)

Concretização da magia.
Necessita fazer uso da magia para conseguir alguma coisa.
É Exu que responde por meio das cartas do Tarô Cigano.

1 e 12 (As Alegrias)

Realizações que trazem o colorido da existência.
Necessita de romantismo para obter alguma coisa.
Precisa materializar alguma coisa para conseguir o colorido da vida.

1 e 13 (A Criança)

A intuição que colabora na realização das metas propostas.
Necessita fazer uso da intuição para conseguir realizar algo.
Precisa materializar alguma coisa para ter de volta a "criança interior: e a alegria de viver.

1 e 14 (As Armadilhas)

Armadilhas que impedem a realização dos objetivos.
Necessita fazer alguma coisa para impedir a ação das armadilhas.

1 e 15 (As Falsidades)

"Olho gordo", falsidades que impedem a realização dos objetivos.
Necessita fazer alguma coisa para coibir a ação do "olho gordo" e as falsidades.
Materializa as falsidades.

1 e 16 (A Sorte)

É a estrela que está trazendo realizações.
Necessita concretizar alguma coisa para conseguir resgatar o carma.
Exu relacionado ao carma. O Exu da estrela.
Instante da "sorte" de materializar o objetivo.

1 e 17 (As Novidades)

Oportunidades inéditas que trazem materializações.
Realizações trazendo oportunidades novas.
Necessita de novas chances para materializar alguma coisa.
Precisa realizar os objetivos para alcançar novas oportunidades.

1 e 18 (O Aliado)

Realizações que trazem aliados.
Necessita de aliados para conseguir realizar os objetivos.
Precisa materializar alguma coisa para conquistar aliados.

1 e 19 (A Espiritualidade)

A espiritualidade colabora nas realizações.

Necessita materializar algo na vida espiritual.
É a vida espiritual que traz concretização de objetivos.

1 e 20 (As Ervas)

Materializações que ajudam a "semear no jardim".
Necessita fazer planos para conseguir realizar os objetivos.
O "jardim" vem vindo aí.

1 e 21 (As Pedras)

A justiça está se materializando.
Realizações relacionadas à justiça.
Necessita de justiça para materializar metas.
Precisa realizações para conseguir externar a justiça.

1 e 22 (Os Caminhos)

Caminhos abertos, prontos para materializações.
Necessita concretizar os caminhos, a direção da vida.
O caminho se realiza.

1 e 23 (Os Desgastes)

Desgastes que interferem nas realizações.
Necessita realizar metas para espantar os desgastes.

1 e 24 (Os Sentimentos)

Realizações no campo sentimental.
Você usa os sentimentos para conseguir realizações.

1 e 25 (As Alianças)

Realizações que trazem a aliança.

Necessita criar aliança para conseguir realizar algo.
Precisa materializar alianças.

1 e 26 (Os Livros)

Realizações no campo do trabalho ou dos estudos.
Necessita refletir bem, raciocinar corretamente, a fim de materializar os objetivos.

1 e 27 (O Aviso)

Aviso de realizações.
Aviso de que os objetivos, mesmo que ainda não tenham se concretizado, o serão, a qualquer momento.
Está próximo de acontecer isso.

1 e 28 (O Cigano/O Homem)

Um homem que traz realizações.
Um homem chega.

1 e 29 (A Cigana/A Mulher)

Uma mulher traz realizações.
Uma mulher que está chegando.

1 e 30 (Os Rios)

A paz está se materializando.
Necessita tornar concreta a paz.
Necessita de paz para realizar os objetivos.

1 e 31 (O Sol)

O crescimento que traz concretizações.

Necessita materializar algo para conseguir crescimento.
Precisa crescer para conseguir alcançar realizações.

1 e 32 (As Honrarias)

Concretizações que trazem honrarias.
Necessita ser reconhecido (a) para conseguir materializar algo.
Precisa operar concretizações para ganhar merecimentos.

1 e 33 (As Soluções)

Soluções que estão perto de se materializar.
Necessita achar soluções para realizar alguma coisa.
Precisa realizar algo para achar as soluções.

1 e 34 (A Matéria)

Realizações materiais: dinheiro, finanças.
Dinheiro que está por vir.
Acontecimentos concretos e reais prontos para se materializarem.

1 e 35 (A Segurança)

Você concretiza o próprio patrimônio.
Necessita de segurança para conseguir realizações.
Precisa concretizar algo para conseguir ter segurança.

1 e 36 (A Vitória)

Vitórias que estão prestes a se materializar.
Estrada de vitórias.

Carta nº 2 – Os Obstáculos

2 e 3 (O Mar)
Obstáculos interferindo em mudanças ou viagens.
Necessita mudar – ou viajar – para vencer obstáculos.
Saúde apresenta pequenos problemas.
Saúde afetada por obstáculos que estão no caminho.

2 e 4 (O Equilíbrio)
Obstáculos que afetam o equilíbrio familiar.
Necessita de equilíbrio para vencer obstáculos.
Precisa dos familiares, o pessoal da casa, para vencer obstáculos.

2 e 5 (As Árvores)
Obstáculos que atrapalham e dificultam a troca de energia – os relacionamentos.
Necessita trocar energias para vencer obstáculos.
Precisa afastar obstáculos para poder se relacionar com as pessoas.

2 e 6 (As Nuvens)
Obstáculos que provocam turbulências.
Turbulências capazes de gerar obstáculos.
Necessita afastar tumultos para triunfar sobre obstáculos.
Precisa deixar obstáculos para trás, a fim de afastar tumultos.

2 e 7 (O Arco-Íris)
Discórdias, desavenças que geram obstáculos.
Obstáculos causando discórdias, desavenças.

Pessoas de má índole pondo obstáculos na trilha que se deve seguir.

2 e 8 (A Perda)

Obstáculos que causam grandes perdas.
Necessita sobrepor-se a obstáculos para superar as grandes perdas.
Grandes perdas que deixam obstáculos.
Precisa vencer as perdas profundas para não criar obstáculos.

2 e 9 (A Chuva)

Obstáculos que afetam as alegrias.
Necessita de alegrias para vencer obstáculos.
Precisa vencer obstáculos para conseguir alegrias profundas.

2 e 10 (As Transformações)

Obstáculos gerando transformações.
Necessita transformar alguma coisa para vencer obstáculos.
Precisa transpor obstáculos para poder concretizar transformações.

2 e 11 (A Magia)

Magia gerando obstáculos.
Necessita fazer uso da magia para afastar obstáculos.
Precisa transpor obstáculos para poder servir-se da magia.

2 e 12 (As Alegrias)

Obstáculos que roubam o colorido da vida.
Necessita do colorido da vida para triunfar sobre obstáculos.
É preciso vencer obstáculos para se ter o romantismo.

2 e 13 (A Criança)

Obstáculos que atrapalham o poder intuitivo.
Necessita da intuição para vencer obstáculos.
Criança interior transpondo obstáculos.
Obstáculos interferindo na alegria de viver.

2 e 14 (As Armadilhas)

Armadilhas gerando obstáculos.
Necessita superar obstáculos para não ser surpreendido caindo em armadilhas.
Precisa encontrar armadilhas para não ter de atravessar obstáculos.
Atenção para que os obstáculos não atrapalhem a realização de suas metas.

2 e 15 (As Falsidades)

"Olho gordo" que traz obstáculos.
Necessita passar por cima de "olho gordo" para não ter de atravessar obstáculos.
Falsos amigos pondo obstáculos na sua frente.

2 e 16 (A Sorte)

Obstáculos que atrapalham a estrela.
Necessita de estrela para vencer obstáculos.
Obstáculos relacionados ao carma.

2 e 17 (As Novidades)

Obstáculos que atrapalham oportunidades novas.
Oportunidades novas que trazem obstáculos.
Necessita afastar obstáculos por meio de oportunidades novas.

2 e 18 (O Aliado)

Obstáculos que atrapalham um aliado.
Obstáculos impedem que consiga um aliado.
Necessita de aliado para vencer obstáculos.

2 e 19 (A Espiritualidade)

Obstáculos interferem na espiritualidade.
Necessita da espiritualidade para vencer obstáulos.
Obstáculos postos no seu caminho pelo mundo espiritual.

2 e 20 (As Ervas)

Obstáculos impedindo que se plante no jardim.
Necessita plantar no jardim para triunfar sobre obstáculos.
Necessita vencer obstáculos para plantar no jardim.

2 e 21 (As Pedras)

Obstáculos que afetam a justiça.
Necessita de justiça para vencer obstáculos.
Necessita vencer obstáculos para ter justiça.
Justiça que afasta obstáculos.

2 e 22 (Os Caminhos)

Obstáculos na sua trajetória de vida, no seu caminho.
Necessita sobrepor-se a obstáculos para achar o caminho.
Apesar de haver obstáculos ocasionais, o caminho continua livre.

2 e 23 (Os Desgastes)

Obstáculos que trazem desgastes.
Necessita vencer obstáculos para passar por cima de desgastes.
Desgastado para conseguir vencer obstáculos.
Precisa superar desgastes para não criar obstáculos.

2 e 24 (Os Sentimentos)

Obstáculos que prejudicam sentimentos.
Necessita vencer obstáculos para ter de volta sentimentos.
Precisa fazer uso de sentimentos para vencer obstáculos.
Sentimentos que causam obstáculos.

2 e 25 (As Alianças)

Obstáculos que afastam as alianças.
Necessita criar alianças para vencer obstáculos.
Precisa afastar obstáculos para ter chances de criar alianças.

2 e 26 (Os Livros)

Obstáculos no campo do trabalho ou nos estudos.
Necessita raciocinar bem para vencer obstáculos.
Precisa trabalhar para triunfar sobre obstáculos.

2 e 27 (O Aviso)

Aviso a respeito de obstáculos.
Indica que são apenas obstáculos e podem ser vencidos.

2 e 28 (O Cigano/O Homem)

Um homem que traz obstáculos.
Um homem que atravessa obstáculos.
Necessita afastar obstáculos em relação a um homem.

2 e 29 (A Cigana/A Mulher)

Uma mulher que traz obstáculos.
Uma mulher que atravessa obstáculos.
Necessita afastar obstáculos relacionados a uma mulher.

2 e 30 (Os Rios)

Obstáculos para se ter paz.
Necessita vencer obstáculos para atingir a paz.
A paz vence todos os obstáculos.
Precisa de paz para triunfar sobre obstáculos.

2 e 31 (O Sol)

Obstáculos que prejudicam o crescimento.
Necessita de desenvolvimento para vencer obstáculos. Precisa vencer obstáculos para conseguir ter crescimento.

2 e 32 (As Honrarias)

Obstáculos para se conseguir receber honrarias.
Necessita vencer obstáculos para ganhar merecimentos.
Precisa ter merecimentos para vencer obstáculos.

2 e 33 (As Soluções)

Obstáculos para lograr soluções.
Necessita encontrar soluções para vencer obstáculos.
Há solução para os obstáculos.

2 e 34 (Matéria)

Obstáculos para que se consiga a materialização do dinheiro.
Necessita vencer obstáculos para lograr materializar o dinheiro.
Obstáculos materiais.

2 e 35 (A Segurança)

Obstáculos para que se obtenha segurança, patrimônio.
Necessita vencer obstáculos para conseguir segurança.
Insegurança criada por obstáculos.

2 e 36 (A Vitória)

Obstáculos para obter vitória.
Necessita vencer obstáculos para conseguir vitória.
Necessita de vitória para vencer obstáculos.
Vitórias que anulam obstáculos.

Carta nº 3 – O Mar

Força Viva e Vibratória – Iemanjá

3 e 4 (O Equilíbrio)

Mudanças, viagens que trazem o equilíbrio.
Necessita de equilíbrio para realizar mudanças e fazer viagens.
Precisa operar mudanças para alcançar o equilíbrio.
Saúde equilibrada.

3 e 5 (As Árvores)

Mudanças, viagens para dividir com os outros.
Necessita operar mudanças nos relacionamentos.
Você divide mudanças, viagens.
Saúde em bom estado.

3 e 6 (As Nuvens)

Mudanças, viagens que trazem turbulências.
Necessita mudar para espantar turbulências.
Tumultos gerando mudanças ou viagens.
Saúde emocional prejudicada.

3 e 7 (O Arco-Íris)

Discórdias, desavenças que provocam mudanças e criam viagens.
Mudanças, viagens que trazem desavenças.
Saúde prejudicada devido a brigas, discussões e confusões.

3 e 8 (A Perda)

Mudanças, viagens que trazem grandes perdas.
Necessita operar mudanças para superar a dor das perdas.
Grandes perdas prejudicando a saúde.
Não há mudanças ou viagens.

3 e 9 (A Chuva)

Mudanças, viagens que trazem profundas alegrias.
Necessita operar mudanças para conseguir profundas alegrias.
Necessita de alegrias para obter a chance de fazer mudanças.
Saúde em bom estado.

3 e 10 (As Transformações)

Mudanças, viagens que trazem grandes transformações.
Necessita mudar para concretizar transformações.
Precisa operar transformações para obter mudanças e fazer viagens.
Sua saúde passa por um processo de transformações.

3 e 11 (A Magia)

É Iemanjá que se apresenta nas cartas do Tarô Cigano.
Mudanças, viagens provocadas pela magia.
Necessita fazer uso da magia para obter mudanças, ter saúde e fazer viagens.
Precisa mudar a magia.

3 e 12 (As Alegrias)

Mudanças, viagens que trazem o colorido da vida.
Necessita mudar para obter o colorido da vida.
Precisa do colorido para realizar mudanças e fazer viagens.
Saúde em bom estado.

3 e 13 (A Criança)

Mudança, viagens para conseguir encontrar a alegria de viver.
Necessita fazer uso da intuição para realizar mudanças e viajar.
Precisa operar mudanças, para ter de volta a espontaneidade.
Saúde em bom estado.

3 e 14 (As Armadilhas)

Mudanças, viagens que trazem armadilhas.
Necessita mudar para encontrar e afastar armadilhas do caminho.
Armadilhas na saúde, causando diagnóstico duvidoso.

3 e 15 (As Falsidades)

Mudanças, viagens, provocando "olho gordo".
Necessita operar mudanças para espantar o "olho gordo" e as falsidades.
Saúde facilmente sujeita às influências de "olho gordo".

3 e16 (A Sorte)

A estrela que traz mudanças, viagens.
Necessita mudar ou fazer viagens relacionadas ao carma.
O dom da saúde, o poder de cura.
Devido ao seu carma, envolveu-se na recuperação da saúde de alguém.

3 e 17 (As Novidades)

Mudanças, viagens que trazem chances novas.
Necessita de mudanças para conseguir oportunidades novas.
Precisa de novas chances para realizar mudanças e fazer viagens.
Oportunidades novas que surgem na área da saúde.

3 e 18 (O Aliado)

Mudanças, viagens para conseguir achar aliados.
Necessita operar mudanças e fazer viagens para obter força de aliados.
Precisa de aliados para realizar mudanças.
É preciso mudar de aliados.

3 e 19 (A Espiritualidade)

Mudanças, viagens para obter espiritualidade.
Necessita fazer uso da espiritualidade para operar mudanças.
É preciso que você faça mudanças na área espiritual.
Mundo espiritual que interfere na saúde.

3 e 20 (As Ervas)

Mudanças, viagens para plantar no jardim.
Necessita operar mudanças para fazer planos para o futuro.
Necessita mudar o jardim.
É preciso que se semeie no jardim para obter mudanças.

3 e 21 (As Pedras)

Mudanças, viagens para obter justiça.
Necessita de justiça para conseguir ter mudanças.
Precisa de mudanças para concretizar justiça.
Justiça que traz mudanças, viagens e saúde.

3 e 22 (Os Caminhos)

Caminhos livres, preparados para receber mudanças, viagens.
Necessita operar mudanças e fazer viagens para continuar no caminho.
Precisa achar os caminhos que levam às mudanças.
Saúde em bom estado.

3 e 23 (Os Desgastes)

Mudanças, viagens que trazem desgastes.
Necessita operar mudanças, fazer viagens para vencer desgastes.
Precisa vencer os desgastes para realizar mudanças.
Saúde desgastada, desânimo, cansaço.

3 e 24 (Os Sentimentos)

Mudanças, viagens por motivos meramente sentimentais.
Necessita mudar os sentimentos.
Precisa fazer uso dos sentimentos para realizar mudanças.
Emoção prejudicando a saúde.

3 e 25 (As Alianças)

Mudanças, viagens para criar alianças.
Necessita mudar as alianças.
Precisa de auxílio para conseguir operar mudanças.
Necessita de saúde para obter alianças.

3 e 26 (Os Livros)

Mudanças, viagens em caráter de trabalho ou estudos.
Necessita realizar mudanças para conseguir trabalho.
Precisa ser bem esperto para realizar mudanças e fazer viagens.

3 e 27 (O Aviso)

Aviso de mudanças e viagens.
Necessita realizar mudanças para poder receber notícias.
Precisa de notícias para realizar mudanças e fazer viagens.
Alerta para que preste atenção à saúde.

3 e 28 (O Cigano/O Homem)

Mudanças, viagens que trazem um homem.
Necessita realizar mudanças para achar o homem ideal (para a mulher).
Um homem que traz mudanças e viagens.
O homem corrigindo situações na trajetória da vida.

3 e 29 (A Cigana/A Mulher)

Mudanças, viagens que trazem uma mulher.
Necessita realizar mudanças em relação à mulher (para o homem).
Uma mulher que traz mudanças, viagens.
A mulher realizando mudanças positivas na vida.

3 e 30 (Os Rios)

Mudanças, viagens que trazem paz.
Necessita de paz para operar mudanças.
Precisa mudar para achar a paz.
Bom aspecto na saúde.

3 e 31 (O Sol)

Mudanças, viagens que trazem crescimento, progresso.
Necessita crescer para operar mudanças e fazer viagens.
Precisa mudar para alcançar o progresso.
Você está crescendo com boa saúde.

3 e 32 (As Honrarias)

Mudanças, viagens que trazem honrarias.
Necessita de mudanças, viagens, para ganhar honrarias.
Precisa de reconhecimento para operar as mudanças.

3 e 33 (As Soluções)

Mudanças, viagens que surgem para que se encontre as soluções.
Necessita operar mudanças para encontrar a solução.
Precisa achar soluções para realizar mudanças e fazer viagens.
Soluções no terreno da saúde.

3 e 34 (A Matéria)

Mudanças que trazem dinheiro.
Necessita realizar mudanças materiais, concretas.
Precisa de dinheiro para conseguir operar mudanças.
Viagem concretizando-se.

3 e 35 (A Segurança)

Ter confiança nas mudanças.
Necessita de segurança para realizar mudanças e viajar.
Precisa realizar mudanças para obter segurança.
Saúde boa, segura.

3 e 36 (A Vitória)

Mudanças, viagens que trazem vitória.
Necessita realizar mudanças para obter vitória.
Necessita de vitória para operar mudanças e fazer viagens.
Vitória no terreno da saúde.

Carta nº 4 – O Equilíbrio

4 e 5 (As Árvores)

Você divide algo com equilíbrio.
Necessita dividir para conseguir equilíbrio.
Precisa do equilíbrio para trocar energias.
Você compartilha com os membros da família.

4 e 6 (As Nuvens)

Turbulências que afetam o equilíbrio.
Necessita de equilíbrio para superar turbulências.
Tumulto familiar.
Clima pesado, tenso, no ambiente familiar.

4 e 7 (Arco-Íris)

Discórdias, desavenças que abalam o equilíbrio.
Necessita de equilíbrio para superar desavenças.
Discórdia no ambiente familiar.
Pessoas de má índole interferindo negativamente no equilíbrio.

4 e 8 (A Perda)

Desequilíbrio.
Perdas que afetam a família.
Necessita de equilíbrio para superar as perdas.

4 e 9 (A Chuva)

Equilíbrio que produz alegrias profundas.
Alegrias profundas que trazem o equilíbrio.
Alegrias profundas no ambiente familiar.

4 e 10 (As Transformações)

Transformações que afetam o equilíbrio familiar.
Necessita do equilíbrio para concretizar transformações.
Precisa realizar transformações para alcançar equilíbrio.

4 e 11 (A Magia)

Magia que traz o equilíbrio.
Realiza magia com equilíbrio.
Uma casa, um ambiente de magia.
Necessita de magia para conseguir chegar ao equilíbrio.

4 e 12 (As Alegrias)

O equilibrio que traz o colorido da vida.
Necessita de equilíbrio para conseguir o colorido.
Precisa do colorido para alcançar o equilíbrio.
O colorido no ambiente doméstico, familiar.

4 e 13 (A Criança)

Faz uso da intuição com equilíbrio.
Necessita de equilíbrio para usar a intuição.
Equilíbrio que chega por meio da espontaneidade.
Criança de casa, família.

4 e 14 (As Armadilhas)

Armadilhas que tiram o equilíbrio.
Necessita de equilíbrio para superar armadilhas no caminho.
Armadilhas no ambiente familiar – parentes.

4 e 15 (As Falsidades)

Falsidades que prejudicam o equilíbrio.

Necessita de equilíbrio para vencer "olho gordo".
Falsidades, "olho gordo" no ambiente doméstico.

4 e 16 (A Sorte)

O equilíbrio da estrela.
A estrela que traz o equilíbrio.
Um lar, uma família relacionados ao carma.
Necessita harmonizar-se com a luz que ilumina.

4 e 17 (As Novidades)

O equilíbrio que traz novas chances.
Chances novas que trazem o equilíbrio.
Necessita de equilíbrio para conseguir novas chances.
Necessita de novas oportunidades para alcançar o equilíbrio.
Casa nova.

4 e 18 (O Aliado)

Um aliado que traz o equilíbrio.
Necessita de aliados para alcançar o equilíbrio.
Precisa de equilíbrio para conseguir ajuda de aliados.
Aliados no ambiente familiar.

4 e 19 (A Espiritualidade)

A espiritualidade que traz o equilíbrio.
Necessita de equilíbrio para poder fazer uso da espiritualidade.
Casa ou família espiritual.

4 e 20 (As Ervas)

Utilize o equilíbrio para plantar no jardim.
Necessita elaborar planos para alcançar o equilíbrio.

Necessita de equilíbrio para semear no jardim.
Família que auxilia nos planos para o futuro.

4 e 21 (As Pedras)

A justiça que traz o equilíbrio.
Necessita de justiça para alcançar o equilíbrio.
Precisa do equilíbrio para conseguir justiça.
O equilíbrio que traz justiça.
Justiça no ambiente doméstico.

4 e 22 (Os Caminhos)

O equilíbrio presente nos caminhos.
Necessita de equilíbrio para achar o caminho.
Precisa trilhar os caminhos para alcançar o equilíbrio.
A casa, a família, ligadas ao caminho.

4 e 23 (Os Desgastes)

Desgastes que roubam o equilíbrio.
Necessita de equilíbrio para vencer os desgastes.
Desgastes no ambiente doméstico.
Equilíbrio com sinais de desgaste.

4 e 24 (Os Sentimentos)

Faça uso dos sentimentos com equilíbrio.
Necessita de equilíbrio para ter de volta os sentimentos.
Necessita de amor para obter equilíbrio.
Emoções equilibradas.

4 e 25 (As Alianças)

Você forma alianças com equilíbrio.
Necessita de alianças para obter equilíbrio.

Precisa de equilíbrio para conseguir formar alianças.
Alianças no ambiente familiar.

4 e 26 (Os Livros)

Equilíbrio no campo profissional e nos estudos.
Necessita trabalhar, usando a cabeca, para alcançar o equilíbrio.
Precisa de equilíbrio para arranjar trabalho.
Lugar de trabalho ou de estudos.

4 e 27 (O Aviso)

Atenção para o equilíbrio familiar.
Aviso para que se consiga equilíbrio.
Notícias de familiares ou parentes.

4 e 28 (O Cigano/O Homem)

O homem que traz o equilíbrio.
Um homem equilibrado emocionalmente.
O homem que necessita ter equilíbrio.
O homem da casa, da família, um parente.

4 e 29 (A Cigana/A Mulher)

A mulher que traz o equilíbrio.
Uma mulher que traz o equilíbrio.
A mulher tendo necessidade de se equilibrar.
A mulher da casa, da família.

4 e 30 (Os Rios)

O equilíbrio que traz paz.
Necessita de paz para alcançar o equilíbrio.
Precisa de equilíbrio para obter paz.
A paz no ambiente doméstico e com parentes.

4 e 31 (O Sol)

O equilíbrio que traz o crescimento, o progresso.
O crescimento que proporciona o equilíbrio.
Necessita de equilíbrio para poder crescer, progredir.
A casa, a família crescendo, progredindo.

4 e 32 (As Honrarias)

O equilíbrio que traz as honrarias.
Necessita de equilíbrio para conseguir ter honrarias.
Precisa obter merecimentos para alcançar o equilíbrio.
Honrarias no ambiente familiar.

4 e 33 (As Soluções)

O equilíbrio que traz soluções.
Necessita encontrar soluções para ter equilíbrio.
Precisa encontrar o equilíbrio para ter soluções.
Soluções que vêm para o ambiente doméstico.

4 e 34 (A Matéria)

Parte financeira equilibrada.
Necessita de equilíbrio para concretizar metas.
Precisa de dinheiro para obter equilíbrio.
Dinheiro relacionado à família e à casa.

4 e 35 (A Segurança)

O equilíbrio que traz segurança.
Necessita de segurança para alcançar o equilíbrio.
Precisa de equilíbrio para conseguir patrimônio.
Segurança familiar.

4 e 36 (A Vitória)

O equilíbrio que traz a vitória.
Necessita de equilíbrio para obter vitória.
Precisa de vitória para alcançar o equilíbrio.

Carta nº 5 – As Árvores

Força Viva e Vibratória das Árvores– Oxóssi

5 e 6 (As Nuvens)

Turbulência que interfere nos relacionamentos.
Necessita trocar energias com pessoas para livrar-se de tumultos.

5 e 7 (O Arco-Íris)

Discórdias, desavenças que afastam o ato de dividir, compartirlhar.
Você troca energias com pessoas de má índole.

5 e 8 (A Perda)

Grandes perdas nos relacionamentos.
Necessita exteriorizar energias para superar perdas.
Você não está fazendo troca de energias.

5 e 9 (A Chuva)

Você divide grandes alegrias.
Necessita de grandes alegrias para dividir.
Precisa compartilhar para obter grandes alegrias.

5 e 10 (As Transformações)

Transformações que afetam os relacionamentos.
Necessita dividir para obter transformações.
Precisa realizar transformações no modo de dividir as energias.

5 e 11 (A Magia)

Você tem magia de sobra.
Você divide magia.
Necessita fazer uso da magia para dividir.
Precisa compartilhar a magia.
Oxóssi está respondendo nas cartas do Tarô Cigano.

5 e 12 (As Alegrias)

Você divide com alguém o colorido da vida.
Necessita dividir com alguém para obter o colorido.
Precisa do romantismo para conseguir compartilhar.

5 e 13 (A Criança)

Você faz o uso da intuição para dividir algo com alguém.
Necessita fazer uso da intuição para se relacionar com os outros.
Você divide emoções com as crianças.

5 e 14 (As Armadilhas)

Armadilhas no âmbito das trocas de energia.
Necessita dividir para livrar-se das armadilhas.
Você troca energias com pessoas de má índole.

5 e 15 (As Falsidades)

Você está trocando energias com falsos amigos.
"Olho gordo" que prejudica os relacionamentos.

5 e 16 (A Sorte)

A estrela que proporciona forte magnetismo.
O carma de ter de dividir as coisas.
Necessita, com frequência, de pessoas por perto.

5 e 17 (As Novidades)

Novos relacionamentos que surgem.
Necessita compartilhar para ter novas chances.
Precisa de novas chances para compartilhar com as outras pessoas.

5 e 18 (O Aliado)

Você está trocando energia com um amigo bom e fiel.
Um aliado que ajuda a dividir.
Necessita ter um aliado para dividir.
Precisa mais de contato com aliados.

5 e 19 (A Espiritualidade)

Possui potencial espiritual para dar-se.
Você faz uso da espiritualidade para dividir.
Necessita compartilhar a espiritualidade.

5 e 20 (As Ervas)

Você divide o jardim com alguém.
Necessita dividir o jardim com alguém.
Precisa semear no jardim para poder compartilhar.
Depende de você a evolução dos relacionamentos.

5 e 21 (As Pedras)

Envolvimento com a justiça.
Necessita compartilhar a justiça.
Precisa de justiça para dividir algo com alguém.

5 e 22 (Os Caminhos)
Muita fartura nos caminhos.
Necessita de caminhos para compartilhar.
Precisa dividir para achar os caminhos.

5 e 23 (Os Desgastes)

Surgem desgastes na troca de energias.
Desgastes atrapalhando a divisão de energias.
Necessita dividir para livrar-se dos desgastes.

5 e 24 (Os Sentimentos)

Você divide amor, sentimentos.
Necessita de amor para compartilhar.
Precisa dividir sentimentos.

5 e 25 (As Alianças)

Realize alianças para dividir.
Necessita criar alianças para dividir.
Precisa dividir para criar alianças.

5 e 26 (Os Livros)

Forme sociedade no trabalho.
Use a cabeça, o bom-senso para compartilhar.
Necessita compartilhar para obter trabalho.
Forme grupo de estudos ou de trabalhos.

5 e 27 (O Aviso)

Aviso de que é necessário trocar energias.
Notícias a dividir com alguém.
Necessita dividir notícias com alguém.

5 e 28 (O Cigano/O Homem)

O homem com quem se pode dividir (para a mulher).
Um homem que precisa dividir.
Um homem ajudando a dividir.
Precisa sair mais para encontrar o homem ideal (para a mulher).

5 e 29 (A Cigana/Mulher)

A mulher com quem se pode dividir (para o homem).
Uma mulher que precisa dividir.
Uma mulher ajudando a dividir.
Você precisa sair mais para encontrar a mulher ideal (para o homem).

5 e 30 (Os Rios)

Você divide a paz com alguém.
Necessita de paz para dividir com os outros.
Precisa dividir para alcançar a paz.

5 e 31 (O Sol)

Você divide o crescimento, o progresso.
Necessita compartilhar para alcançar o progresso, o crescimento.
Precisa crescer, progredir para dividir as energias.

5 e 32 (As Honrarias)

Você divide as honrarias.
Necessita ganhar honrarias para poder dividir.
Necessita compartilhar as honrarias.

5 e 33 (As Soluções)

Procure soluções para poder dividir.

A solução chega por meio do envolvimento com os outros.
Necessita dividir para achar as soluções.

5 e 34 (A Matéria)

Grande fartura no âmbito material.
Necessita de dinheiro para dividir com as demais pessoas.
Precisa dividir para concretizar metas.

5 e 35 (A Segurança)

Você divide com alguém a segurança e/ou o patrimônio.
Necessita de segurança para dividir.
Necessita compartilhar para obter segurança.

5 e 36 (A Vitória)

Você divide vitória com alguém.
Necessita compartilhar para alcançar vitória.
Precisa obter vitória para dividir com outras pessoas.
Vitórias proporcionadas para si mesmo(a) e para aqueles que estão à sua volta.

Carta nº 6 – Os Ventos

Força Viva e Vibratória dos Ventos – Iansã

6 e 7 (O Arco-Íris)

Discórdias, desavenças que geram tumultos.
Necessita livrar-se das discórdias para afastar os tumultos.
Pessoas de má índole causando turbulências.

6 e 8 (A Perda)

Grandes perdas causam tumultos.
Tumultos que podem gerar perdas.

6 e 9 (A Chuva)

Tumultos que afastam alegrias.
Grandes alegrias em meio a uma névoa.

6 e 10 (As Transformações)

Transformações que causam tumultos.
Tumultos gerando transformações.
Necessita operar transformações para se livrar dos tumultos.
Turbulências que podem ser transformadas.

6 e 11 (A Magia)

A magia que afasta os tumultos.
Necessita fazer uso da magia para sobrepor-se aos tumultos.
Iansã respondendo nas cartas do Tarô Cigano.
Turbulências geradas por magia.

6 e 12 (As Alegrias)

Tumultos repelindo o romantismo.
Necessita do colorido da vida para afastar tumultos.
Romance tumultuado.

6 e 13 (A Criança)

Tumultos que afastam o poder da intuição.
Necessita fazer uso da intuição para afastar tumultos.
A "criança interior" tumultuada.

6 e 14 (AS ARMADILHAS)

Armadilhas que geram tumultos.
Necessita acabar com tumultos para não cair em armadilhas.
Cuidado para não tomar decisões e atitudes sem pensar.

6 e 15 (As Falsidades)

Falsidades que trazem tumultos.
Turbulências geradas pela força do "olho gordo".
Falso amigo causando tumultos no ambiente.

6 e 16 (A Sorte)

Necessita buscar a estrela para acabar com tumultos.
Turbulências que impedem de ver a sorte.
Tumultos relacionados ao carma.

6 e 17 (As Novidades)

Chances novas que trazem tumultos.
Necessita de novas chances para afastar turbulências.
Tumultos que afastam oportunidades novas.

6 e 18 (O Aliado)

Um aliado que passa por momentos turbulentos.
Necessita de aliados para se ver livre das turbulências.

6 e 19 (A Espiritualidade)

Turbulências que afastam a espiritualidade.
Necessita fazer uso da espiritualidade para afastar turbulência.
Turbulências geradas pelo mundo espiritual.

6 e 20 (As Ervas)

Turbulências na hora de plantar no jardim.
Necessita plantar no jardim para se ver livre das turbulências.
Escassez de objetivos na vida.

6 e 21 (As Pedras)

Turbulências na justiça.
Justiça que afasta as turbulências.
Necessita da justiça para superar os tumultos.

6 e 22 (Os Caminhos)

Turbulências que surgem no caminho.
Necessita achar os caminhos para vencer turbulências.
Atrás das turbulências o caminho se encontra livre.

6 e 23 (Os Desgastes)

Turbulências que provocam desgastes.
Desgastes causando situações embaraçosas e confusas.

6 e 24 (Os Sentimentos)

Sentimentos tumultuados.
Necessita esclarecer os sentimentos para afastar os tumultos.

6 e 25 (As Alianças)

Tumultos com alianças.
Necessita criar alianças para vencer os tumultos.

6 e 26 (Os Livros)

Turbulências no setor dos estudos ou do trabalho.
Necessita usar a cabeça para livrar-se dos tumultos.
Dificuldade para concentrar-se.

6 e 27 (O Aviso)

Nuvens passageiras à vista.

Notícias um tanto tumultuadas.
Necessita receber notícias para acabar com os tumultos.

6 e 28 (O Cigano/O Homem)

Um homem atravessando período de turbulências.
Um homem que causa tumultos.
Necessita afastar tumultos para achar o homem ideal (para a mulher).

6 e 29 (A Cigana/A Mulher)

Uma mulher que atravessa período de turbulências.
Uma mulher provocando tumultos.
Necessita afastar tumultos para achar a mulher ideal (para o homem).

6 e 30 (Os Rios)

A paz que afasta os tumultos.
Necessita obter paz para afastar as turbulências.
Tumultos que impedem a paz.

6 e 31 (O Sol)

O crescimento, o progresso que afasta as turbulências.
Necessita progredir, crescer para vencer as turbulências.
Turbulências que prejudicam o crescimento, o progresso.

6 e 32 (As Honrarias)

Turbulências que afastam as honrarias.
Necessita ganhar merecimentos para espantar os tumultos.
Honrarias em meio a tumultos.

6 e 33 (As Soluções)
Turbulências que afastam as soluções.
Necessita de soluções para acabar com os tumultos.
Soluções duvidosas, não muito claras.

6 e 34 (A Matéria)
Tumultos no setor material, com relação ao dinheiro também.
Momento nada propício para mexer com dinheiro.

6 e 35 (A Segurança)
Tumultos que prejudicam a segurança, o patrimônio.
Necessita de segurança para espantar tumultos.
Não permitir que o tumulto gere insegurança.

6 e 36 (A Vitória)
Tumultos que atrapalham a vitória.
Necessita de uma definição de metas para afastar turbulências.
Vitória sobre os tumultos.

Carta nº 7 – Arco-Íris

Força Viva e Vibratória do Arco-Íris – Oxumaré

7 e 8 (A Perda)
Discórdias, desavenças que causam grandes perdas.
Perdas que causam discórdia.
Pessoas de má índole que tentam causar perdas.

7 e 9 (A Chuva)

Discórdias que impedem as grandes alegrias.
Necessita de grandes alegrias que aguentam discórdias, desavenças.

7 e 10 (As Transformações)

Discórdias que trazem transformações profundas.
Profundas transformações que geram desavenças, discórdia.
Necessita realizar transformações para se ver livre das discórdias.

7 e 11 (A Magia)

Discórdias ocasionadas por magia.
Necessita fazer uso da magia para se ver livre das discórdias.
Oxumaré apresenta-se nas cartas do Tarô Cigano.
Magia negativa interferindo seriamente na vida, chegando a prejudicar.

7 e 12 (As Alegrias)

Discórdias que afastam o colorido da vida.
Necessita do colorido da vida para se ver livre de desavenças, discórdias.
Falsidades no terreno sentimental.

7 e 13 (A Criança)

A intuição que mostra as desavenças.
Necessita fazer uso da intuição para se livrar das discórdias.
Você é inocente demais para se relacionar com pessoas de má índole.

7 e 14 (As Armadilhas)

Armadilhas que geram discórdias, desavenças.
Discórdias que trazem armadilhas.
Pessoas de má índole fazem tudo para desviá-lo(a) do caminho.

7 e 15 (As Falsidades)

Falsidades que geram discórdia.
Discórdias ocasionadas por "olho gordo".
Falsos amigos criando encrencas, confusões, brigas.

7 e 16 (A Sorte)

Discórdias, desavenças que prejudicam a sorte.
Necessita encontrar a estrela para se livrar das discórdias.
Pessoas mal-intencionadas com ligação cármica.

7 e 17 (As Novidades)

Discórdias que afastam novas chances.
Necessita ter novas chances para fugir do poder das discórdias.

7 e 18 (O Aliado)

Discórdias que afastam um aliado.
Necessita ter aliados para vencer as discórdias.
Confusões, discussões e brigas entre pessoas amigas.

7 e 19 (A Espiritualidade)

Discórdias que prejudicam a espiritualidade.
Necessita fazer uso da espiritualidade para se livrar das discórdias.
Confusões, encrencas, causadas pelo mundo espiritual.

7 e 20 (As Ervas)

Discórdias que prejudicam planos futuros.
Necessita semear no jardim.
Pessoas de má índole prejudicam o planejamento das metas.

7 e 21 (As Pedras)

Discórdias, desavenças na justiça.
Necessita de justiça para livrar-se de discórdias, desavenças.
Presença de injustiças.

7 e 22 (Os Caminhos)

Discórdias, desavenças no caminho.
Você convive com pessoas de má índole.

7 e 23 (Os Desgastes)

Discórdias que causam desgastes.
Necessita acabar com discórdias para livrar-se dos desgastes.
Confusões, encrencas que são causadas por antigos desgastes.

7 e 24 (Os Sentimentos)

Discórdias, desavenças nos sentimentos.
Necessita fazer uso dos sentimentos e/ou da intuição para vencer discórdias.
Brigas causadas por fatores emocionais e/ou passionais.

7 e 25 (As Alianças)

Discórdias que prejudicam as alianças: comerciais, espirituais afetivas.
Necessita criar alianças para acabar com discórdias, desavenças.

7 e 26 (Os Livros)

Discórdias no setor do trabalho e/ou estudos.
Necessita ser esperto e maduro para afastar discórdias.
Você convive com pessoas de má índole no trabalho ou nos estudos.

7 e 27 (O Aviso)

Notícias que trazem discórdias, desavenças.
Necessita receber notícias para se ver livre das discórdias.
É um aviso de que está havendo influência de pessoas de má índole.

7 e 28 (O Cigano/O Homem)

Um homem que traz discórdias.
Um homem que sofre devido à discórdia.
Necessita acabar com discórdias para achar o homem ideal (para a mulher).
Confusões que envolvem um homem.

7 e 29 (A Cigana/A Mulher)

Uma mulher que traz discórdias.
Uma mulher que sofre com discórdias.
Necessita acabar com discórdias para achar a mulher ideal (para o homem).
Confusões que envolvem uma mulher.

7 e 30 (Os Rios)

Discórdias que afastam a paz.
Necessita ter paz para acabar com as discórdias, desavenças.

7 e 31 (O Sol)

Discórdias que prejudicam o crescimento, o progresso.
Necessita progredir, crescer para acabar com as discórdias.

7 e 32 (As Honrarias)

Discórdias "roubando" os merecimentos.
Necessita obter reconhecimentos para acabar com as discórdias.
Tendência de alguma coisa ser mal interpretada.

7 e 33 (As Soluções)

Discórdias que afastam as soluções.
Necessita achar soluções para as discórdias que imperam no momento.
Existem soluções para as pessoas de caráter duvidoso e de má índole.

7 e 34 (A Matéria)

Discórdias, desavenças nos negócios por causa de dinheiro.
Necessita realizar negócios para acabar com discórdias.
Risco de confusões envolvendo o setor de finanças.

7 e 35 (A Segurança)

Discórdias que afetam a segurança, o patrimônio.
Necessita de segurança para acabar com as discórdias, desavenças.

7 e 36 (A Vitória)

Discórdias que interferem na vitória.
Necessita ter metas a cumprir para livrar-se das discórdias.
Vitória sobre as pessoas de má índole, perigosas.

Carta nº 8 – As Perdas

8 e 9 (A Chuva)

Grandes perdas que "roubam" a alegria de viver.
Necessita ter as alegrias de volta para esquecer as perdas.
Você não está conseguindo ter alegrias.

8 e 10 (As Transformações)

Transformações que trazem grandes perdas.
Necessita operar transformações para evitar as perdas.
Vida calcada na rotina, sem transformações.

8 e 11 (A Magia)

Perdas ocasionadas por magia.
Necessita fazer uso da magia para ver-se livre das perdas.
Você não exercita a magia que possui.

8 e 12 (As Alegrias)

Grandes perdas que "roubam" o colorido da vida.
Necessita ter de volta alegria para esquecer as perdas.

8 e 13 (A Criança)

Perda do poder intuitivo, do sentido mais puro de viver.
Necessita fazer uso da "criança interior" para evitar perdas.
"Criança interior" triste e/ou com falta de segurança.

8 e 14 (As Armadilhas)

Armadilhas que provocam grandes perdas.
Você está sendo conduzido(a) por armadilhas que geram perdas.
Cuidado para não sucumbir e cair em armadilhas.

8 e 15 (As Falsidades)

Pessoas com inveja que provocam grandes perdas.
Perdas ocasionadas por "olho gordo".

8 e 16 (A Sorte)

Perdas que já ocorreram em consequência de desgaste cármico.
Necessita superar as perdas para a estrela ter seu brilho de volta.

8 e 17 (As Novidades)

Chances novas aparecerão depois de perdas.
As perdas que afastam novas chances.
Tédio, monotonia, falta de metas a cumprir.

8 e 18 (O Aliado)

Perda de amigo, de um aliado fiel.
Um aliado que avisa sobre as perdas.
Necessita conseguir aliados para vencer as perdas.

8 e 19 (A Espiritualidade)

Perdas no mundo espiritual.
A espiritualidade que aparece após as perdas.
Perdas causadas pelo mundo espiritual.

8 e 20 (As Ervas)

Perdas no jardim, que dificultam o ato de plantar ou colher.
O jardim necessita ser semeado após as perdas.

8 e 21 (As Pedras)

Perdas na justiça.
Necessita obter justiça para se livrar das perdas.
Agressões sem sentido, gratuitas.

8 e 22 (Os Caminhos)

Grandes perdas que dificultam a descoberta do caminho.
Necessita achar novos caminhos para vencer as perdas.
Perdas que fazem parte do caminho.

8 e 23 (Os Desgastes)

Grandes perdas que trazem desgastes emocionais e físicos.
Desgastes que aniquilam a capacidade de decisão e levam a perdas.
Cuidado para que os desgastes não gerem perdas.

8 e 24 (Os Sentimentos)

Perdas na capacidade de sentir, de amar.
Sentimentos de perda relacionados a alguém.
O setor sentimental vai mal.

8 e 25 (As Alianças)

Perdas em alianças feitas no setor comercial, afetivo ou espiritual.
Necessita criar novas alianças para vencer as perdas.
Necessita de muita ajuda.

8 e 26 (Os Livros)

Perdas no campo do trabalho ou na área dos estudos.
Perdas na capacidade de raciocinar.
Necessita ser esperto e maduro para triunfar sobre as perdas.

8 e 27 (O Aviso)

Um aviso de grandes perdas que estão por vir.
Atenção para as perdas que ocorreram e ocorrem para não repeti-las.

8 e 28 (O Cigano/O Homem)

Um homem que já se perdeu – pode significar viuvez no jogo da mulher.
O homem que passa por grandes perdas – no jogo do homem.
Um homem que causa grandes perdas.

8 e 29 (A Cigana/A Mulher)

Uma mulher que já se perdeu – pode significar viuvez no jogo do homem.
Uma mulher que passa por grandes perdas – no jogo da mulher.
Uma mulher que causa grandes perdas.

8 e 30 (Os Rios)

Grandes perdas que afastam a paz.
Necessita ter a paz de volta para vencer as perdas.
Ausência de paz.

8 e 31 (O Sol)

Grandes perdas que afastam o progresso, o crescimento.
Necessita progredir, crescer para vencer as perdas.
Estagnação.

8 e 32 (As Honrarias)

Grandes perdas que afastam as honrarias.
Necessita obter honrarias para vencer as perdas.
Você faz interpretação errônea dos outros.

8 e 33 (As Soluções)

Grandes perdas que afastam as respostas.
Necessita achar soluções para vencer as perdas.
Há soluções para as perdas.

8 e 34 (A Matéria)

Grandes perdas de dinheiro e de bens materiais.
Necessita ter dinheiro de volta para vencer as perdas.

8 e 35 (A Segurança)

Grandes perdas que prejudicam o patrimônio ou a segurança.
Necessita ter segurança de novo para vencer as perdas.

8 e 36 (A Vitória)

Grandes perdas que afastam as vitórias.
Necessita obter vitória para vencer as perdas.
Triunfos sobre as perdas.

Carta nº 9 – A Chuva

Força Viva e Vibratória da Chuva – Nanã

9 e 10 (As Transformações)

Transformações que trazem grandes alegrias.
Necessita operar transformações para obter alegrias.

9 e 11 (A Magia)

Magia que traz grandes alegrias.
É Nanã quem responde nas cartas do Tarô Cigano.

9 e 12 (As Alegrias)

O romantismo da vida que traz grandes alegrias.
Necessita obter alegrias para conseguir o colorido da vida.

9 e 13 (A Criança)

A intuição que mostra a alegria de viver.
Uma criança que atravessa uma fase de momentos felizes.
Solte um pouco mais a "criança interior".

9 e 14 (As Armadilhas)

Armadilhas prontas para tirar as alegrias.
Cuidado para não desviar do objetivo, que é a busca das alegrias.

9 e 15 (As Falsidades)

Uma pessoa invejosa aparenta alegria.
Sensível ao "olho gordo" que pode "roubar" alegrias.
As aparentes alegrias que atraem falsos amigos.

9 e 16 (A Sorte)

A estrela que traz grandes alegrias.
As alegrias que pertencem ao carma.

9 e 17 (As Novidades)

Alegrias que abrem novas estradas na vida.
Novas chances que trazem grandes alegrias.

9 e 18 (O Aliado)

Um aliado portando alegrias.
Necessita de um aliado para conseguir alegrias.
Alegrias próprias.

9 e 19 (A Espiritualidade)

Trabalhe manuseando ervas medicinais.
O mundo espiritual que traz alegrias.

9 e 20 (As Ervas)

Você semeia no jardim para conseguir alegrias.
Pode semear, pois vai colher o que for plantado.

9 e 21 (As Pedras)

A justiça que traz grandes alegrias.
Necessita de justiça para conseguir alegrias.

9 e 22 (Os Caminhos)

Caminho aberto, pronto para receber alegrias.
Alegrias que fazem parte do caminho a ser percorrido.

9 e 23 (Os Desgastes)

Desgastes, pequenas perdas que "roubam" a alegria.
Necessita ter alegria de volta para triunfar sobre os desgastes.

9 e 24 (Os Sentimentos)

Sentimentos de grande profundidade que estão trazendo alegrias.
A emoção que causa alegrias.
Coração em estado de graça, feliz.

9 e 25 (As Alianças)

Alianças comerciais ou afetivas que trazem alegrias.
Necessita criar alianças para conseguir obter alegrias.

9 e 26 (Os Livros)

Alegrias no campo de trabalho ou na área dos estudos.
Utilize o raciocínio para obter alegrias.

9 e 27 (O Aviso)

Boas notícias que trazem alegrias.
Espera receber notícias para alegrar-se.
É um aviso de que as grandes alegrias voltarão.

9 e 28 (O Cigano/O Homem)

Um homem que traz grandes alegrias.
O homem vivendo um estado de grandes alegrias.
Homem muito feliz.

9 e 29 (A Cigana/A Mulher)

Uma mulher que traz grandes alegrias.
Uma mulher vivendo um estado de grandes alegrias.
Mulher muito feliz.

9 e 30 (Os Rios)

A paz está trazendo grandes alegrias.
Necessita obter alegrias para ter paz.

9 e 31 (O Sol)

O crescimento, o progresso que traz grandes alegrias.
Necessita de energia para conseguir alegrias.

9 e 32 (As Honrarias)

Alegrias pelo merecido reconhecimento.
Necessita obter reconhecimentos para ter alegrias.

9 e 33 (As Soluções)
Procure soluções para ter alegrias.
Grandes alegrias que se apresentam como resposta.

9 e 34 (A Matéria)
Alegrias materiais e em relação ao dinheiro.
Necessita ter objetos materiais e/ou dinheiro para obter alegrias.

9 e 35 (A Segurança)
A segurança que traz alegrias.
Necessita ter segurança para conseguir alegrias.
Ter confiança nas alegrias.

9 e 36 (A Vitória)
O triunfo chegando e trazendo grandes alegrias.
Necessita de vitória para conseguir alegrias.
Alegrias resultando em vitória.

Carta nº 10 – As Transformações

Força Viva e Vibratória das Transformações – Obaluaiê

10 e 11 (A Magia)
Transformações causadas por magia.
Necessita fazer uso da magia para operar transformações.
Obaluaiê está respondendo nas cartas do Tarô Cigano.

10 e 12 (As Alegrias)

Necessita operar transformações para encontrar o sentido da vida.
O colorido da vida, alegrias que transformam a vida.

10 e 13 (A Criança)

Você faz uso da intuição para gerar as transformações na vida.
Necessita de transformações para ter a intuição de volta.
Criança que atravessa uma fase de transformações.

10 e 14 (As Armadilhas)

Armadilhas que bloqueiam transformações.
Necessita operar transformações para escapar das armadilhas.

10 e 15 (As Falsidades)

"Olho gordo" que prejudica as transformações.
Necessita de transformações para acabar com o "olho gordo" de amigos falsos.

10 e 16 (A Sorte)

Momento em que ocorrem transformações abruptas na vida.
A estrela que leva a transformações.
Transformações de ordem cármica.

10 e 17 (As Novidades)

Necessita operar transformações para encontrar novos caminhos.
Oportunidades novas que aparecem e provocam transformações.

10 e 18 (O Aliado)

Um aliado que traz transformações.
Necessita de um aliado para obter transformações.

10 e 19 (A Espiritualidade)

Profundas transformações na vida espiritual.
O mundo espiritual está trazendo transformações.

10 e 20 (As Ervas)

Necessita operar transformações para semear no jardim.
Mude o modo de planejar metas futuras.

10 e 21 (As Pedras)

A justiça que traz transformações.
Necessita operar transformações para conseguir justiça.

10 e 22 (Os Caminhos)

Caminhos livres, preparados para transformações.
Necessita operar transformações para achar o caminho.

10 e 23 (Os Desgastes)

Desgastes que impedem as transformações.
Necessita operar transformações para bloquear a ação dos desgastes.

10 e 24 (Os Sentimentos)

Sentimentos de grande profundidade que trazem transformações.
Necessita de transformações para recuperar sentimentos.

10 e 25 (As Alianças)

Alianças de ordem comercial – ou afetiva – em fase de transformações.
Necessita operar transformações nas alianças.

10 e 26 (Os Livros)

Transformações que ocorrem no campo do trabalho ou na área dos estudos.
Necessita ser maduro, usar a cabeça para operar as transformações.

10 e 27 (O Aviso)

É um aviso de que é preciso operar transformações.

10 e 28 (O Cigano/O Homem)

O homem em fase de transformações (para o homem).
Um homem que provocará transformações na vida de uma mulher.
Necessita transformar as relações com um homem.

10 e 29 (A Cigana/A Mulher)

A mulher que passa por uma fase de transformações (para a mulher).
Uma mulher que chegará trazendo transformações na vida de um homem.
Necessita realizar transformações na relação com uma mulher.

10 e 30 (Os Rios)

Transformações portadoras de paz.
A paz que traz transformações.

10 e 31 (O Sol)

Transformações que geram crescimento, progresso.
Crescimento, progresso que ocasionará transformações.

10 e 32 (As Honrarias)

Transformações no modo de receber honrarias.
Necessita de transformações para receber os merecimentos.

10 e 33 (As Soluções)

Necessita realizar transformações para achar as soluções.
A solução, a resposta que anseia, está nas transformações.

10 e 34 (A Matéria)

Transformações na área financeira, no setor material.
Necessita operar transformações para conseguir dinheiro ou coisas materiais.

10 e 35 (A Segurança)

Transformações que ocorrem na segurança, no patrimônio.
Necessita ter segurança para operar as transformações.

10 e 36 (A Vitória)

Transformações que conduzem ao sucesso.
Vitória por meio de transformações.

Carta nº 11 – A Magia

11 e 12 (As Alegrias)

Necessita fazer uso da magia para conseguir ter o colorido da vida.
O colorido da vida é trazido pela magia.

11 e 13 (A Criança)

A intuição que conduz ao caminho da magia.
A magia que traz o poder da intuição.
Erê está respondendo nas cartas do Tarô Cigano.

11 e 14 (As Armadilhas)

Armadilhas provocadas por uso de magia.
Necessita fazer uso da magia para vencer armadilhas.

11 e 15 (As Falsidades)

Pessoas invejosas que tentam interferir na magia.
Necessita fazer uso da magia para vencer o "olho gordo".

11 e 16 (A Sorte)

A magia que conduz a vida.
A estrela que traz consigo a magia.
A magia pertence ao carma.

11 e 17 (As Novidades)

Necessita novidades relacionadas à magia.
Necessita fazer magia para obter novas chances.

11 e 18 (O Aliado)

Necessita produzir aliados na magia.
Precisa fazer uso da magia para obter novas oportunidades.

11 e 19 (A Espiritualidade)

Crescimento, progresso espiritual que traz magia.
Necessita fazer magia para conseguir desenvolvimento espiritual.

11 e 20 (As Ervas)

Semeie no jardim, por meio da magia.
Necessita da magia para semear no jardim.
Ossaê está respondendo nas cartas do Tarô Cigano.

11 e 21 (As Pedras)

Necessita fazer uso da magia para conseguir justiça.
Procure justiça por meio da magia.
Xangô está respondendo nas cartas do Tarô Cigano.

11 e 22 (Os Caminhos)

Caminhos livres para fazer uso da magia.
Necessita fazer magia para desobstruir caminhos.
Ogum está respondendo nas cartas do Tarô Cigano.
Magia é parte do caminho.

11 e 23 (Os Desgastes)

Desgastes ocasionados por magia.
Necessita fazer uso da magia para vencer os desgastes.

11 e 24 (Os Sentimentos)

A magia que traz emoções.
Necessita realizar magia para ter os sentimentos de volta.

11 e 25 (As Alianças)

Você forma alianças com magia.
Necessita realizar magia para reforçar as alianças.

11 e 26 (Os Livros)

Você faz trabalhos de magia.
Necessita da magia para conseguir trabalho.
Use o conhecimento para fazer magia.

11 e 27 (O Aviso)

Um alerta sobre a magia; alguma coisa que está para ocorrer.
Alguém está realizando magia.
Um aviso de que a magia existe.

11 e 28 (O Cigano/O Homem)

Um homem que faz uso da magia.
Necessita realizar magia para encontrar o homem ideal (para a mulher).
Um homem que chega, por meio de magia.

11 e 29 (A Cigana/A Mulher)

Uma mulher dotada do poder da magia.
Necessita fazer uso da magia para conseguir achar a mulher ideal (para o homem).
Uma mulher que chega, por meio de magia.
A Rainha Cigana que orienta o Tarô Cigano se apresenta no jogo.

11 e 30 (Os Rios)

A paz que traz magia.
Necessita fazer uso da magia para obter paz.
Oxum está respondendo nas cartas do Tarô Cigano.

11 e 31 (O Sol)

O crescimento, o progresso, por meio de magia.
Necessita fazer magia para conseguir progresso, crescimento.
Oxalá está se apresentando nas cartas do Tarô Cigano.

11 e 32 (As Honrarias)

Honrarias e merecimentos por meio de magia.
Necessita fazer magia para conseguir merecimentos.

11 e 33 (As Soluções)

As soluções que chegam através de magia.

Necessita fazer uso de magia para obter as respostas de que precisa.

11 e 34 (A Matéria)

Recursos materiais obtidos por intermédio de magia.
Necessita fazer magia para ser bem-sucedido nos negócios e ter dinheiro.

11 e 35 (A Segurança)

Segurança obtida por intermédio de magia.
Necessita fazer magia para conseguir ter segurança.
É preciso confiar no poder da magia.

11 e 36 (A Vitória)

Objetivos alcançados por meio de magia.
Necessita fazer uso da magia para obter vitória.

Carta nº 12 – As Alegrias

12 e 13 (A Criança)

A intuição que traz alegrias.
Grandes alegrias que trazem o colorido da vida.
Uma criança que traz as alegrias.

12 e 14 (As Armadilhas)

Armadilhas que afastam as alegrias.
Alguém fazendo armadilhas com os sentimentos.
Necessita de alegrias para vencer armadilhas.

12 e 15 (As Falsidades)

"Olho gordo" nas aparentes alegrias.
O colorido da vida que causa "olho gordo" em pessoas de índole duvidosa.
Necessita ter de volta as alegrias para afastar o "olho gordo".

12 e 16 (A Sorte)

A estrela que traz alegrias e o colorido da vida.
O romantismo que é parte da vida.

12 e 17 (As Novidades)

Chances novas que trazem alegrias.
O poder da intuição que traz novas chances.

12 e 18 (O Aliado)

Um amigo que traz a alegria de viver.
Necessita de aliado para vivenciar alegrias.
A alegria de viver que é aliada.

12 e 19 (A Espiritualidade)

O caminho espiritual que traz alegrias.
Necessita ter a espiritualidade desenvolvida para obter alegrias.

12 e 20 (As Ervas)

As alegrias que geram planos futuros.
O jardim que proporciona alegrias.

12 e 21 (As Pedras)

A justiça que traz alegrias.
Necessita de justiça para ter as alegrias de volta.

12 e 22 (Os Caminhos)

O caminho que se abre para as alegrias.
Alegrias que pertencem aos caminhos.
Necessita achar um modo de obter alegrias.

12 e 23 (Os Desgastes)

Perdas pequenas, desgastes que "roubam" as alegrias.
Necessita ter de volta o colorido da vida para vencer os desgastes.

12 e 24 (Os Sentimentos)

Sentimentos profundos que trazem alegrias.
Paixão, romantismo.
Coração em estado de graça, feliz.

12 e 25 (As Alianças)

Alianças que trazem alegrias.
Necessita criar alianças para obter alegrias.
Casamento marcado pela presença de romantismo.

12 e 26 (Os Livros)

Alegrias na área do trabalho ou dos estudos.
Trabalho ou estudos que proporcionam alegrias.
Precisa ser maduro o suficiente para obter alegrias.

12 e 27 (O Aviso)

Um aviso de que as alegrias estão prestes a chegar.
Um lembrete de que as alegrias existem, sim.

12 e 28 (O Cigano/O Homem)

Um homem que traz alegrias, romantismo (para a mulher).
Um homem contente, feliz, alegre (para o homem).

12 a 29 (A Cigana/A Mulher)

Uma mulher que traz alegrias, romantismo (para o homem).
Uma mulher contente, feliz, alegre (para a mulher).

12 e 30 (Os Rios)

A paz que traz alegrias.
Grandes alegrias, romantismo, que trazem paz.

12 e 31 (O Sol)

O progresso, o crescimento, a expansão de energia que traz as alegrias.
As alegrias ocasionando o progresso, o crescimento.
Necessita crescer, progredir para obter alegrias.

12 e 32 (As Honrarias)

Honrarias e merecimentos portando grandes alegrias.
Necessita obter alegrias para conseguir honrarias.

12 e 33 (As Soluções)

As soluções, as respostas, que trazem alegrias.
Necessita achar respostas para conseguir ter o colorido da vida.

12 e 34 (A Matéria)

Alegria no âmbito dos negócios; dinheiro que traz alegrias.
Necessita realizar negócios ou receber dinheiro para conseguir ter alegrias.

12 e 35 (A Segurança)

A segurança causando alegrias.
Necessita de segurança para conseguir obter alegrias.

12 e 36 (A Vitória)
A vitória das alegrias, que alcança os objetivos e gera alegrias.
Necessita de vitória para obter alegrias.

Carta nº 13 – A Criança

Força Viva e Vibratória da Infância – Erê

13 e 14 (As Armadilhas)
Armadilhas que obstruem o poder da intuição.
A força da intuição que consegue afastar as armadilhas.
Alguém se aproveita da inocência de alguém para instalar armadillhas.

13 e 15 (As Falsidades)
"Olho gordo" que obstrui o poder da intuição.
A força da intuição mostrando os falsos amigos.
Criança sensível ao poder maligno do "olho gordo".

13 e 16 (A Sorte)
A estrela que traz o poder da intuição.
Ligação cármica com as crianças.
Você está fazendo uso da intuição para dar rumos à vida.

13 e 17 (As Novidades)
A força da intuição que mostra novas estradas a percorrer.
Chances novas que trazem o poder da intuição.
Novidades relacionadas às crianças.

13 e 18 (O Aliado)
A "criança interior" como uma aliada.
Certa facilidade em fazer amizade com crianças.

13 e 19 (A Espiritualidade)
Espiritualidade desenvolvida que traz o poder da intuição.
A intuição conduzindo ao caminho da espiritualidade.
Uma criança que está ligada ao mundo espiritual.

13 e 20 (As Ervas)
A força da intuição que mostra como semear no jardim.
Necessita semear no jardim para obter alegria de viver.

13 e 21 (As Pedras)
A intuição que mostra o caminho da justiça.
A justiça que traz a alegria interior.

13 e 22 (Os Caminhos)
O poder da intuição que mostra qual o caminho que deve ser seguido.
Caminhos abertos, desimpedidos pelo poder da intuição.
Necessita da força da intuição para achar os caminhos.

13 e 23 (Os Desgastes)
Desgastes de ordem física ou emocional prejudicando o poder da intuição.
A força da intuição que mostra pequenos desgastes que podem acontecer.
Uma criança que apresenta desgastes energéticos.

13 e 24 (Os Sentimentos)

A força da intuição que comanda os sentimentos.
Sensibilidade, sentimentos límpidos, puros, cristalinos.
Necessita de afetividade para despertar a "criança interior".

13 e 25 (As Alianças)

A força da intuição que gera a formação de alianças.
Alianças de ordem afetiva, espiritual ou comercial, mas guiadas pela força da intuição.
Necessita fazer uso da intuição para conseguir ajuda.

13 e 26 (Os Livros)

Você utiliza do poder da intuição no trabalho ou nos estudos.
Necessita trabalhar, fazendo uso da intuição.
Obter mais conhecimentos para usar a força da intuição.

13 e 27 (O Aviso)

O poder da intuição que mostra que algo está para ocorrer.
Um alerta, um aviso para que faça uso da intuição.

13 e 28 (O Cigano/O Homem)

O poder da intuição mostrando o homem ideal (para a mulher).
Um homem que faz uso do poder da intuição (para o homem).
Um homem infantil, criançola.

13 e 29 (A Cigana/A Mulher)

O poder da intuição que mostra a mulher ideal (para o homem).
Uma mulher que se utiliza do poder da intuição (para mulher).
Uma mulher infantil.

13 e 30 (Os Rios)

A intuição mostrando a paz.
Necessita de paz para obter o direito de usar o poder da intuição.
A criança tranquila, em paz.
Paz com o seu "Eu" verdadeiro.

13 e 31 (Sol)

A força da intuição que conduz ao progresso, ao crescimento, à criatividade.
Necessita fazer uso da intuição para progredir, crescer.

13 e 32 (As Honrarias)

A força da intuição ocasiona o recebimento de honrarias.
A força da intuição que precisa ser reconhecida.

13 e 33 (As Soluções)

A força da intuição que leva as soluções.
Necessita fazer uso da força intuitiva para achar as respostas.

13 e 34 (A Matéria)

A força da intuição sinalizando bons negócios, dinheiro.
Necessita utilizar o poder da intuição para fazer negócios.
Você está fazendo uso da força da intuição para alguma realização no mundo material.

13 e 35 (A Segurança)

A força da intuição sinalizando segurança.
Necessita fazer uso da força intuitiva para obter segurança.
Você está fazendo uso da força da intuição com segurança.
Ter confiança no poder intuitivo.

13 e 36 (A Vitória)

A força da intuição mostrando como conseguir vitória.
Necessita fazer uso do poder de intuição para alcançar as metas propostas.
A intuição triunfando.

Carta nº 14 – As Armadilhas

14 e 15 (As Falsidades)

Amigos falsos preparam armadilhas.
Necessita observar quem tem "olho gordo" para não se abrir com essa pessoa.

14 e 16 (A Sorte)

Armadilhas que interferem na própria sorte.
A estrela que vence as armadilhas.
Armadilhas de origem cármica.

14 e 17 (As Novidades)

Chances inéditas que trazem armadilhas.
Armadilhas que "roubam" a possibilidade de conquistar novas chances.

14 e 18 (O Aliado)

Pessoa aliada que cai em armadilhas.
Necessita ter aliados para se safar das armadilhas.

14 e 19 (A Espiritualidade)

Armadilhas de ordem espiritual; descrença no mundo espiritual, falta de fé.
Necessita desenvolver a espiritualidade para triunfar sobre as armadilhas.

14 e 20 (As Ervas)

Armadilhas que desestimulam o planejamento de metas futuras.
Necessita cuidar do jardim para não ser vítima de armadilhas.

14 e 21 (As Pedras)

Armadilhas que se utilizam da justiça.
Necessita de justiça para escapar das armadilhas.
Advogado "raposa", profissional esperto, astuto.

14 e 22 (Os Caminhos)

Armadilhas obstruindo a caminhada.
Necessita escolher os caminhos para não ser vítima das armadilhas.

14 e 23 (Os Desgastes)

Armadilhas que causam desgastes de ordem física e emocional.
Desgastes que provocam um certo torpor em relação à conquista de metas.

14 e 24 (Os Sentimentos)

Ação de armadilhas na área dos sentimentos.
Sentimentos que levam a ser vítima de armadilhas.
Necessita fazer uso da sensibilidade para fugir das armadilhas.
Certa tendência de se envolver com espertalhões.

14 e 25 (As Alianças)

Aliança causando armadilhas.
Necessita criar alianças para escapar das armadilhas.
Você está criando alianças com pessoas espertalhonas.

14 e 26 (Os Livros)

Armadilhas no setor dos estudos ou na área profissional.
Necessita raciocinar para fugir das armadilhas.

14 e 27 (O Aviso)

Um aviso de que armadilhas estão prestes a chegar.
Armadilhas que impedem de receber notícias.

14 e 28 (O Cigano/O Homem)

Um homem que é vítima de armadilhas.
Um homem criando armadilhas (para a mulher).
Armadilhas que tentam envolver um homem.

14 e 29 (A Cigana/A Mulher)

Uma mulher que cai em armadilhas.
Uma mulher que cria armadilhas (para o homem).
Armadilhas que envolvem de certa maneira uma mulher.

14 e 30 (Os Rios)

Armadilhas que "roubam" a paz.
Necessita de paz para fugir das armadilhas.

14 e 31 (O Sol)

Armadilhas que obliteram o progresso, impedem o crescimento.
Necessita fazer a luz se expandir para escapar das armadilhas.

14 e 32 (As Honrarias)
Presença de armadilhas nas honrarias que recebe.
Armadilhas que tentam "roubar" os merecimentos.

14 e 33 (As Soluções)
Armadilhas que afastam as soluções.
Necessita achar respostas para as armadilhas.
Existe solução, no caso de armadilhas.

14 e 34 (A Matéria)
Armadilhas afastam dinheiro e realizações financeiras.
Necessita fazer negócios para fugir de armadilhas.
Atenção com o uso do dinheiro.

14 e 35 (A Segurança)
Armadilhas que afastam a segurança e afetam o patrimônio.
Necessita obter segurança para escapar das armadilhas.

14 e 36 (A Vitória)
Armadilhas que afastam as chances de vitória.
Você está triunfando sobre armadilhas que se apresentam.

Carta nº 15 – As Falsidades

15 e 16 (A Sorte)
"Olho gordo" na estrela. Cuidado!
Necessita crer na estrela para vencer o poder do "olho gordo".
Amigo falso, cuja causa é cármica.

15 e 17 (As Novidades)

Pessoas falsas que afastam novas chances.
Necessita obter novas chances para vencer o poder do "olho gordo".

15 e 18 (O Aliado)

Amigo que alerta a respeito de "olho gordo".
Necessita obter novas chances para vencer o poder do "olho gordo".
Você está sendo aliado de falso amigo.

15 e 19 (A Espiritualidade)

Alguém que inveja a espiritualidade.
Necessita pedir socorro ao mundo espiritual para vencer o poder do "olho gordo".

15 e 20 (As Ervas)

Inveja que prejudica os planos para o futuro.
Necessita semear no jardim para vencer o "olho gordo".

15 e 21 (As Pedras)

"Olho gordo", falsidades, que afastam a justiça.
Necessita de justiça para vencer o poder do "olho gordo".
Disputa de ordem judicial.
Você poderá ser traído com documentos e papéis importantes.

15 e 22 (Os Caminhos)

Falsidades que atrapalham o caminho.
Necessita escolher caminhos para triunfar sobre o poder do "olho gordo".

15 e 23 (Os Desgastes)

Falsidades, inveja, causando desgastes.
Desgastes de ordem energética provocados por "olho gordo".

15 e 24 (Os Sentimentos)

Falsidades presentes nos sentimentos.
Sentimentos predispostos a "olho gordo".
"Olho gordo" prejudicando a relação afetiva.

15 e 25 (As Alianças)

Inveja que tenta prejudicar as alianças.
Necessita criar aliança para vencer o poder do "olho gordo".
Você está criando alianças com amigos falsos, traiçoeiros.

15 e 26 (Os Livros)

Falsidades, invejas em relação ao trabalho ou aos estudos.
Necessita ser maduro e relacionar bem para triunfar sobre o poder maligno do "olho gordo".

15 e 27 (O Aviso)

Cuidado com o "olho gordo".
Pessoas falsas portadoras de certas notícias.

15 e 28 (O Cigano/O Homem)

Um homem falso (para mulher).
Um homem que alerta sobre as falsidades.
Um homem que é vítima do poder do olho grande, do "olho gordo".

15 e 29 (A Cigana/A Mulher)

Uma mulher falsa (para o homem).
Uma mulher que alerta a respeito de falsidades.
A mulher que é vítima do poder do "olho gordo".

15 e 30 (Os Rios)

"Olho gordo", inveja, "roubando" a paz.
Necessita possuir paz para triunfar sobre o poder do "olho gordo".

15 e 31 (O Sol)

Inveja que "rouba" os merecimentos.
Necessita ser reconhecido para vencer o "olho gordo".

15 e 32 (As Honrarias)

Falsidades, inveja, que bloqueiam as soluções.
Necessita achar as soluções para afastar o "olho gordo".

15 e 33 (As Soluções)

Há soluções para os amigos falsos, traiçoeiros.
Inveja com respeito à possibilidade de se chegar às soluções.

15 e 34 (A Matéria)

Inveja produzindo obstáculo nos negócios e em relação ao dinheiro.
Necessita realizar negócios, solucionar problemas materiais sem dizer nada a ninguém.

15 e 35 (A Segurança)

Inveja que prejudica a segurança, o patrimônio.
Necessita obter segurança para vencer o poder do "olho gordo".

15 e 36 (A Vitória)
Inveja que afeta a tentativa de atingir a meta proposta.
Necessita de vitória para livrar-se de amigos falsos.
Você está triunfando sobre amigos falsos.

Carta nº 16 – A Sorte

16 e 17 (As Novidades)
Chances novas relacionadas ao carma.
A estrela que traz chances novas.
Resgate cármico por meio de chances novas.

16 e 18 (O Aliado)
Um aliado portador de sorte.
Necessita conquistar aliados para encontrar a sorte.
Um aliado de origem cármica.

16 e 19 (A Espiritualidade)
O Povo do Oriente está se apresentando nas cartas do Tarô Cigano.
Grandes evidências de espiritualidade na vida.
Necessita ter espiritualidade para encontrar a sorte.
Carma relacionado ao mundo espiritual.

16 e 20 (As Ervas)
A estrela ajudando a semear para o futuro.
Necessita fazer esforço para obter a sorte.
Você está colhendo aquilo que plantou em vidas passadas.

16 e 21 (As Pedras)

A justiça no comando da vida.
Necessita de justiça para se deparar com a sorte.
O carma portando a justiça.
Justiça de ordem cármica.

16 e 22 (Os Caminhos)

A estrela que ilumina o caminho.
Necessita achar o caminho que leva à sorte.
O resgate cármico que faz parte do caminho.

16 e 23 (Os Desgastes)

Desgastes ocasionados por resgates cármicos.
O carma que provoca os desgastes.
A sorte está sofrendo desgastes.

16 e 24 (Os Sentimentos)

Grandes sentimentos relacionados ao carma.
Necessitando perseguir a sensibilidade para obter sorte.
Carma de ordem emocional.

16 e 25 (As Alianças)

Alianças de ordem cármica.
Necessita criar alianças para obter sorte.
A estrela que ilumina as alianças.

16 e 26 (Os Livros)

A estrela dando orientações no setor do trabalho e dos estudos.
Raciocine com maturidade para decidir a sorte.
Profissão de origem cármica.
Consciência a respeito do próprio carma.

16 e 27 (O Aviso)

Um aviso a respeito da estrela.
Alguma coisa que irá ocorrer relacionada à sua sorte.

16 e 28 (O Cigano/O Homem)

Homem dotado de sorte.
O homem ideal sendo trazido pela estrela (para a mulher).
Homem de origem cármica.

16 e 29 (A Cigana/A Mulher)

Cigana do Povo do Oriente apresentando-se nas cartas do Tarô Cigano.
Mulher dotada de sorte.
A mulher ideal sendo trazida pela estrela (para o homem).
Mulher de origem cármica.

16 e 30 (Os Rios)

Em estado de plena paz com o seu carma.
A estrela portadora da paz.

16 e 31 (O Sol)

Crescimento, progresso da estrela.
Necessita expandir a luz da estrela.
Expansão positiva do carma.
Carma de progresso, de crescimento.

16 e 32 (As Honrarias)

Honrarias pertinentes à vida.
Você está colhendo honrarias que pertencem ao carma.
Necessita obter honrarias para conseguir ter sorte.

16 e 33 (As Soluções)

As soluções que se encontram na própria estrela.
A solução para o carma.
A luz que ilumina a resposta.
Bens materiais, dinheiro, que pertencem ao carma.

16 e 34 (A Matéria)

A estrela que sinaliza o caminho dos bens materiais.
Sorte em relação a dinheiro.

16 e 35 (A Segurança)

Ter confiança na estrela.
Necessita achar segurança para resgatar o carma.
A estrela portadora de segurança.

16 e 36 (A Vitória)

A vitória que faz parte do carma.
Necessita achar ou materializar os objetivos do carma.
A vitória assegurada pela estrela.
Estrela de vitória.

Carta nº 17 – As Novidades

17 e 18 (O Aliado)

Um amigo que traz novas chances.
Chances inéditas que trazem aliados.
Necessita de aliados para obter novas chances.

17 e 19 (A Espiritualidade)

Oportunidades novas no mundo espiritual.
O mundo espiritual que traz novas chances.
Necessita de um lugar novo relacionado ao mundo espiritual.

17 e 20 (As Ervas)

Chances novas para que se planeje novas metas, o futuro.
Necessita semear no jardim para conseguir novas chances.

17 e 21 (As Pedras)

Oportunidades novas na justiça.
A justiça que traz novas chances.

17 e 22 (Os Caminhos)

Chances novas que aparecem no caminho.
Os caminhos estão ficando livres para receber oportunidades novas.

17 e 23 (Os Desgastes)

Os desgastes que anulam as novas chances.
Necessita de oportunidades novas para vencer os desgastes.

17 e 24 (Os Sentimentos)

Chances novas no campo amoroso, afetivo.
Necessita usar a intuição, os sentimentos, para achar oportunidades novas.

17 e 25 (As Alianças)

Necessita criar alianças para ter novas chances.
Chances novas que trazem alianças novas.

17 e 26 (Os Livros)

Oportunidades novas no setor do trabalho ou dos estudos.
Seja esperto e maduro para conseguir chances novas.
Trabalho ou estudo novo.

17 e 27 (O Aviso)

Um aviso a respeito de chances novas.
Você deve ficar atento às novas oportunidades.

17 e 28 (O Cigano/O Homem)

Um homem que traz chances novas.
Chances novas que trazem o homem ideal (para a mulher).
Oportunidades novas para o homem (para o homem).

17 e 29 (A Cigana/A Mulher)

Uma mulher que traz chances novas.
Oportunidades novas que trazem a mulher ideal (para o homem).
Oportunidades novas para a mulher (para a mulher).

17 e 30 (Os Rios)

A paz traz para perto novas chances.
Necessita ter chances novas para ter a paz.

17 e 31 (O Sol)

Novas chances de progresso, de crescimento.
O progresso, o crescimento, que traz oportunidades novas.
Necessita progredir, crescer, para gerar oportunidades novas.

17 e 32 (As Honrarias)

Chances novas que trazem merecimentos.
Honrarias causando oportunidades novas.

17 e 33 (As Soluções)

Chances novas que trazem soluções.
Necessita encontrar as soluções para ter oportunidades novas.

17 e 34 (A Matéria)

Novas chances nos negócios e no que estiver relacionado a dinheiro.
Necessita de dinheiro para obter novas chances.

17 e 35 (A Segurança)

A confiança que traz chances novas.
Necessita de chances novas para obter segurança.

17 e 36 (A Vitória)

Novas chances para atingir os objetivos.
A vitória que traz oportunidades novas.
Necessita de novas chances para chegar à vitória.

Carta nº 18 – O Aliado

18 e 19 (A Espiritualidade)

A espiritualização que traz aliados.
Há um aliado no mundo espiritual.
Necessita conseguir novos aliados no mundo espiritual.

18 e 20 (As Ervas)

Um aliado que ajuda a semear no jardim.
Necessita fazer muitos esforços para ter aliados.

18 e 21 (As Pedras)

Um aliado que ajuda a trazer justiça.
Necessita ter aliados para obter justiça.
A justiça agindo como uma aliada.

18 e 22 (Os Caminhos)

Um aliado que ajuda a livrar os caminhos dos obstáculos indesejáveis.
Necessita de aliados para achar os caminhos.
Há caminhos livres para que se possa achar os aliados.

18 e 23 (Os Desgastes)

Um amigo que atravessa um período de desgastes.
Necessita de aliados para vencer os desgastes.
Desgastes causados por um amigo.

18 e 24 (Os Sentimentos)

Um aliado no setor sentimental.
Necessita fazer uso dos sentimentos, da força da intuição para ter aliados.
Bons sentimentos que trazem aliados.

18 e 25 (As Alianças)

Você está formando alianças com aliados.
Aliados que necessitam de ajuda.

18 e 26 (Os Livros)

Um aliado no setor do trabalho ou dos estudos.
Necessita obter aliados no trabalho.
Raciocina de forma madura para achar aliados.

18 e 27 (O Aviso)

Um aviso a respeito de um amigo.
Necessita receber notícias de um amigo.
Um amigo portador de notícias.

18 e 28 (O Cigano/O Homem)

O homem ideal chegando na figura de um aliado (para a mulher).
Um aliado na vida do homem (para o homem).
O homem que precisa de aliados (no próprio jogo).

18 e 29 (A Cigana/A Mulher)

A mulher ideal chegando na figura de aliada (para o homem).
Um aliado na vida da mulher (para a mulher).
A mulher que necessita de um aliado (no próprio jogo).

18 e 30 (Os Rios)

Um aliado que traz a paz.
Necessita encontrar a paz para obter a ajuda de aliados.
Necessita de um aliado para alcançar a paz.

18 e 31 (O Sol)

Um aliado que traz progresso, crescimento.
Necessita progredir, crescer, para obter aliados.

18 e 32 (As Honrarias)
Um aliado que traz honrarias.
Necessita de um aliado para obter merecimentos.

18 e 33 (As Soluções)
Um aliado que traz as soluções.
Necessita de aliados para achar as soluções.

18 e 34 (A Matéria)
Um aliado que traz negócios.
Necessita da ajuda de um aliado para realizar negócios.
O trabalho atuando como um aliado.

18 e 35 (A Segurança)
Um aliado que traz segurança.
Necessita conseguir segurança para poder confiar nos aliados.

18 e 36 (A Vitória)
Um aliado que traz a vitória.
Necessita obter aliados para atingir as metas propostas.
A vitória está atuando como uma aliada.

Carta nº 19 – A Espiritualidade

19 e 20 (As Ervas)
Você semeia no jardim da vida espiritual.
Necessita de espiritualidade para semear no jardim.
Poder de cura por meio de ervas medicinais.

19 e 21 (As Pedras)

Você está conseguindo justiça através dos caminhos espirituais.
Necessita de justiça para atingir a espiritualidade.
A justiça de Deus que se manifesta.

19 e 22 (Os Caminhos)

Caminhos livres, prestes a receber a espiritualidade.
Necessita de espiritualidade para prosseguir no caminho.
O mundo espiritual que pertence ao caminho.

19 e 23 (Os Desgastes)

Desgastes presentes na espiritualidade.
Necessita da espiritualidade para vencer os desgastes.

19 e 24 (Os Sentimentos)

Sentimentos de grande profundidade que conduzem à espiritualidade.
A espiritualidade que leva aos sentimentos.
Fazendo uso do coração para achar a espiritualidade.
A pessoa é médium, sensitiva.

19 e 25 (As Alianças)

Você cria alianças com o mundo espiritual.
Necessita fazer alianças espirituais.
A espiritualidade ajudando na formação das alianças.

19 e 26 (Os Livros)

Você está trabalhando por meio da espiritualidade.
A espiritualidade que auxilia no trabalho e nos estudos.
Estudos, trabalhos relacionados à espiritualidade.

19 e 27 (O Aviso)

Um aviso proveniente do mundo espiritual.
A espiritualidade que avisa a respeito de alguma coisa que estiver prestes a ocorrer.

19 e 28 (O Cigano/O Homem)

O homem ideal chegando pelo caminho espiritual (para a mulher).
Um homem dotado de grande espiritualidade.

19 e 29 (A Cigana/A Mulher)

A mulher ideal chegando pelo caminho espiritual (para o homem).
Uma mulher dotada de grande espiritualidade.
A entidade espiritual Rainha Cigana apresentando-se no Tarô Cigano.

19 e 30 (Os Rios)

A paz que chega através do caminho espiritual.
Necessita fazer uso da espiritualidade para encontrar a paz.

19 e 31 (O Sol)

O crescimento, o progresso, que chega por meio da espiritualidade.
Você faz uso do caminho espiritual para alcançar o progresso.
Grande desenvolvimento de ordem espiritual.

19 e 32 (As Honrarias)

Honrarias que vêm por meio da vida espiritual.
Necessita utilizar a espiritualidade para obter merecimentos.

19 e 33 (As Soluções)

As soluções que aparecem por intermédio do mundo espiritual.
A espiritualidade apresentando soluções.

19 e 34 (A Matéria)

Você está fazendo negócios com a ajuda da espiritualidade.
Necessita fazer uso da espiritualidade para conseguir dinheiro.
Dinheiro que chega pelo caminho espiritual.
O mundo espiritual que se apresenta materialmente.

19 e 35 (A Segurança)

A segurança por meio do caminho espiritual.
Ter confiança no mundo espiritual.
Necessita utilizar-se da espiritualidade para conseguir segurança.
A espiritualidade que dá proteção ao patrimônio.

19 e 36 (A Vitória)

A vitória que chega por meio da espiritualidade.
Necessita utilizar a espiritualidade para atingir as metas.
Êxito, sucesso, no caminho espiritual.
O mundo espiritual triunfante, vitorioso.

Carta n° 20 – As Ervas

Força Viva e Vibratória das Ervas – Ossaê

20 e 21 (As Pedras)

Necessita ser justo para colher a justiça.
A justiça que auxilia no planejamento dos objetivos.

20 e 22 (Os Caminhos)

Caminhos livres, preparados para que se semeie no jardim.
Necessita achar os caminhos para semear nos jardins.
Momento no caminho para se pensar no futuro e fazer planos.

20 e 23 (Os Desgastes)

Tendência ao desânimo para planejar alguma coisa.
Necessita criar objetivos para vencer os desgastes.

20 e 24 (Os Sentimentos)

Utilize os sentimentos, o poder da intuição, para semear no jardim.
Necessita semear no jardim para recuperar os sentimentos.
Um pouco de dedicação ao lado emocional.

20 e 25 (As Alianças)

Você cria alianças para semear no jardim.
Necessita de auxílio para planejar metas.

20 e 26 (Os Livros)

Agindo com astúcia para semear no jardim.
Você está semeando no jardim os estudos e o trabalho.

Você estuda, obtém outros conhecimentos, conhecimentos a mais.

20 e 27 (O Aviso)

Lembrar que existem, ainda, planos para ser materializados.
É um aviso de que precisa demonstrar mais esforço.

20 e 28 (O Cigano/O Homem)

Um homem que semeia no jardim.
Você semeia no jardim para achar o homem ideal (para a mulher).
Necessita do auxílio de um homem para semear no jardim.

20 e 29 (A Cigana/A Mulher)

Uma mulher que semeia no jardim.
Você semeia no jardim para achar a mulher ideal (para o homem).
Necessita do auxílio de uma mulher para semear no jardim.

20 e 30 (Os Rios)

A paz que chega no jardim.
Necessita semear no jardim para que possa colher paz.
Necessita ter paz para semear no jardim.

20 e 31 (O Sol)

O progresso, o crescimento que chega ao jardim.
Necessita semear no jardim para materializar o progresso, o crescimento

20 e 32 (As Honrarias)

O reconhecimento que chega por meio dos próprios méritos.
Necessita elaborar planos para obter as honrarias.

As soluções que chegam para o futuro.
Necessita encontrar soluções para planejar metas futuras.
Necessita de grande empenho para ter as respostas.

20 e 33 (As Soluções)

Pode semear, pois vai colher no jardim aquilo que semeou.
A solução depende da sua força de vontade, do seu próprio esforço.

20 e 34 (A Matéria)

Você está fazendo esforço para obter dinheiro.
Necessita materializar o jardim.

20 e 35 (A Segurança)

Você está semeando no jardim para conseguir obter patrimônio.
Necessita ter segurança para poder fazer planos para o futuro.

20 e 36 (A Vitória)

Dê muito de si para lograr a vitória.
Necessita de objetivos para poder plantar no jardim.
Você colhe, com sucesso, frutos num jardim que foi bem semeado.

Carta nº 21 As Pedras

Força Viva e Vibratória das Pedras –Xangô

21 e 22 (Os Caminhos)

Caminhos livres, preparados para que se encontre a justiça.
Necessita de justiça para progredir no caminho.
A justiça que abre os caminhos.

21 e 23 (Os Desgastes)

Desgastes que "roubam" a justiça.
Necessita de justiça para triunfar sobre a ação dos desgastes.
A justiça encontra-se desgastada.

21 e 24 (Os Sentimentos)

Sentimentos guiados pela justiça.
Necessita de justiça para estimar os sentimentos.
Você está fazendo uso dos sentimentos para conseguir a justiça.
Utilizando a força intuitiva para alcançar a justiça.

21 e 25 (As Alianças)

Alianças que são trazidas pela justiça.
Necessita de justiça para gerar alianças.
Você está criando aliança com a justiça.

21 e 26 (Os Livros)

Justiça no setor dos estudos e do trabalho.
Necessita ser astuto para obter justiça.
Trabalha, estuda, sempre orientado pela justiça.

21 e 27 (O Aviso)

Um aviso da justiça.
Necessita receber notícias da justiça.
É chegada a justiça.

21 e 28 (O Cigano/O Homem)

Um homem trabalhando com justiça.
Necessitando de justiça para achar o homem ideal (para a mulher).
Um homem que é protegido pela justiça.

21 e 29 (A Cigana/A Mulher)
Uma mulher trabalhando com justiça.
Necessita de justiça para achar a mulher ideal (para o homem).
Uma mulher que é protegida pela justiça.

21 e 30 (Os Rios)
A paz sendo trazida pela justiça.
Necessita de justiça para conseguir ter paz.

21 e 31 (O Sol)
A justiça que promove o progresso, o crescimento.
Necessita de justiça para obter expansão própria.
Necessita progredir, crescer, para conseguir justiça.

21 e 32 (As Honrarias)
A justiça que traz os merecimentos.
Necessita de justiça para o recebimento de honrarias.

21 e 33 (As Soluções)
A justiça portadora das soluções.
Necessita encontrar soluções por meio da justiça.
Precisa de justiça para conseguir ter as respostas.
Solução correta, justa.

21 e 34 (A Matéria)
Você realiza negócios com a justiça.
Você está fazendo negócios por meio da justiça.
Necessita de justiça para ter dinheiro e fazer negócios.
Precisa de dinheiro para ter justiça.
Você concretiza a justiça.

21 e 35 (A Segurança)
A segurança que chega por meio da justiça.
Necessita de justiça para obter segurança.
Você recebe patrimônio por intermédio da justiça.
Tenha confiança na justiça.

21 e 36 (A Vitória)
Vitória por meio da justiça.
Necessita de justiça para atingir a vitória desejada.
A justiça triunfando, vitoriosa.

Carta nº 22 – Os Caminhos

Força Viva e Vibratória dos Caminhos – Ogum

22 e 23 (Os Desgastes)
Desgastes que interferem no caminho.
Necessita achar o caminho para livrar-se do poder dos desgastes.

22 e 24 (Os Sentimentos)
Caminhos liberados para os sentimentos.
Os sentimentos que sinalizam quanto ao caminho a ser seguido.
Necessita guiar-se pela intuição para "sentir" o caminho.

22 e 25 (As Alianças)
Caminhos livres para a formação de aliança.
Necessita criar alianças para progredir no caminho.
É preciso definir caminhos para fortalecer as alianças.

22 e 26 (Os Livros)

A justiça que libera os caminhos.
Caminhos liberados para obter justiça.
A justiça que se manifesta nos caminhos.

22 e 27 (O Aviso)

Notícias que estão chegando.
Necessita receber notícias para achar o caminho.
Atenção para o caminho que deve tomar.

22 e 28 (O Cigano/O Homem)

Um homem ideal que está chegando (para mulher).
Um homem que define o seu caminho.
Um homem que necessita achar o seu caminho.
Um homem que é parte do seu caminho.

22 e 29 (A Cigana/A Mulher)

A mulher ideal que está chegando (para o homem).
Uma mulher que define o seu caminho.
Uma mulher que necessita achar o seu caminho.
Uma mulher que ajuda na abertura dos caminhos.

22 e 30 (Os Rios)

A paz está próxima. Não vai tardar.
Os caminhos estão abertos para permitir a chegada da paz.
Necessita ter paz para achar os caminhos.
Necessidade de definição com respeito aos caminhos para achar a paz.

22 e 31 (O Sol)

Caminhos liberados para o crescimento, o progresso.
Necessita definir as trajetórias para ir ao encontro do progresso.
Caminho de progresso, de crescimento.

22 e 32 (As Honrarias)

Caminhos livres, preparados para receber honrarias.
Necessita definir o modo de obter honrarias.
Os caminhos estão abertos por puro merecimento.

22 e 33 (As Soluções)

Caminhos livres, prontos para levar às soluções.
A solução é buscar um caminho.
Necessita achar soluções para poder definir o caminho.

22 e 34 (A Matéria)

Caminhos desimpedidos em relação à realização de negócios.
Necessita definir a maneira de fazer negócios.
Dinheiro que desobstrui caminhos.
Necessita concretizar os caminhos.

22 e 35 (A Segurança)

Caminhos livres para achar segurança.
Necessita definir caminhos com segurança.
Patrimônio que se encontra no caminho.

22 e 36 (A Vitória)

Caminhos livres para a vitória.
Necessita definir metas para encontrar o caminho.
Necessita conseguir vitória para livrar caminhos.
Vitória no decorrer dos caminhos.

Carta nº 23 – Os Desgastes

23 e 24 (Os Sentimentos)

Desgastes em relação aos sentimentos.
Necessita utilizar os sentimentos para superar os desgastes.
Precisa ganhar afeto para triunfar sobre os desgastes.

23 e 25 (As Alianças)

Desgastes em relação a alianças, que podem ser de ordem emocional ou afetiva.
Necessita formar alianças para vencer os desgastes.
Necessita de um maior fortalecimento.

23 e 26 (Os Livros)

Desgastes relacionados aos estudos ou ao trabalho.
Necessita usar a cabeça para vencer os desgastes.
Precisa trabalhar para triunfar sobre os desgastes.

23 e 27 (O Aviso)

Um aviso de desgastes que estão por vir.
Necessita receber notícias para vencer os desgastes.

23 e 28 (O Cigano/O Homem)

Necessita achar o homem ideal para vencer os desgastes (para a mulher).
Um homem portador de desgastes.
Desgastes em relação a um homem.
Um homem que atravessa uma fase de desgastes.

23 e 29 (A Cigana/A Mulher)

Mulher que apresenta sinais de desânimo.
Necessita de uma mulher para vencer os desgastes (para o homem).
Desgastes relacionados a uma mulher.

23 e 30 (Os Rios)

A paz que afasta os desgastes.
Necessita ter paz para vencer os desgastes.
Desgastes que "roubam" a paz.

23 e 31 (O Sol)

Desgastes que atrapalham o progresso, o crescimento.
Necessita expandir-se para vencer os desgastes.
A expansão energética relacionada aos desgastes.

23 e 32 (As Honrarias)

Desgastes que prejudicam as honrarias e os merecimentos.
Necessita de reconhecimento para vencer os desgastes.
Honrarias que afastam os desgastes.

23 e 33 (As Soluções)

Necessita achar soluções para vencer os desgastes.
Desgastes que prejudicam as soluções.
Soluções se apresentam para os desgastes.

23 e 34 (A Matéria)

Necessita ganhar dinheiro para vencer os desgastes.
Desgastes que prejudicam os negócios e afastam o dinheiro.
Mundo material com sinais de desgaste.

23 e 35 (A Segurança)
Desgastes que prejudicam a segurança e afetam o patrimônio.
Necessita de segurança para vencer os desgastes.
A firmeza que vence os desgastes.

23 e 36 (A Vitória)
Desgastes que impedem a vitória.
Necessita atingir metas para vencer os desgastes.
A vitória vence os desgastes.
Triunfos sobre o desânimo.

Cartas nº 24 – Os Sentimentos

24 e 25 (As Alianças)
Você forma alianças sentimentais.
Necessita criar alianças afetivas.
Precisa utilizar-se dos sentimentos para formar alianças.

24 e 26 (Os Livros)
Você está fazendo uso dos sentimentos para se sair bem nos estudos ou no trabalho.
Precisa ser maduro, esperto, para medir sentimentos.
Você faz uso da razão e da emoção.

24 e 27 (O Aviso)
Um aviso a respeito de sentimentos.
Necessita receber notícias para o coração.
Você recorda as emoções e os sentimentos.

24 e 28 (O Cigano/O Homem)

O homem ideal que chega trazendo o amor (para a mulher).
Um homem cheio de paixão.
Um homem necessitado de usar o coração.

24 e 29 (A Cigana/A Mulher)

A mulher ideal que chega trazendo o amor (para o homem).
Uma mulher cheia de paixão.
Uma mulher que precisa usar o coração.

24 e 30 (Os Rios)

A paz retornando ao coração.
Necessita achar a paz para obter sentimentos.

24 e 31 (O Sol)

Você utiliza os sentimentos para ter progresso e obter crescimento.
Necessita expandir os sentimentos.

24 e 32 (As Honrarias)

Você está buscando honrarias para o coração.
Honrarias provenientes do coração.
Necessita fazer uso dos sentimentos para obter merecimentos.

24 e 33 (As Soluções)

Você procura soluções a partir dos sentimentos.
As respostas se encontram no coração.
Necessita utilizar-se dos sentimentos para achar as respostas.

24 e 34 (A Matéria)

Concretização dos sentimentos.
Você faz uso dos sentimentos para concretizar negócios.
Necessita de dinheiro para materializar sentimentos.

24 e 35 (A Segurança)
Você está utilizando os sentimentos com vistas a conseguir segurança, patrimônio.
Ter confiança na sensibilidade.
Você procura segurança para os sentimentos.

24 e 36 (A Vitória)
Você está conseguindo vitória para o coração.
A emoção que sai vitoriosa.
Você procura a vitória por intermédio dos sentimentos.

Carta nº 25 – As Alianças

25 e 26 (Os Livros)
É preciso criar grupos de estudos.
A aliança no setor do trabalho ou na área dos estudos.
Necessita ser esperto e maduro para criar alianças.

25 e 27 (O Aviso)
Um aviso a respeito de alianças.
Necessita receber notícias para formar alianças.
Uma lembrança de que necessita de ajuda.

25 e 28 (O Cigano/O Homem)
Você cria alianças com um homem.
Um homem que necessita formar alianças.
O homem ideal que traz alianças (para a mulher).

25 e 29 (A Cigana/A Mulher)

Você está formando alianças com uma mulher.
Uma mulher que necessita formar alianças.
A mulher ideal que traz as alianças (para o homem).

25 e 30 (Os Rios)

A paz que traz alianças.
Necessita formar alianças para obter paz.
Precisa obter paz para realizar alianças.

25 e 31 (O Sol)

O progresso, o crescimento, que traz alianças.
Necessita formar alianças para obter progresso.
Precisa ampliar a área de contatos para formar alianças.

25 e 32 (As Honrarias)

O merecimento que chega por meio de alianças.
Necessita formar alianças para ter as honrarias.

25 e 33 (As Soluções)

Soluções por meio de alianças.
Necessita achar respostas para as alianças.

25 e 34 (A Matéria)

Alianças relacionadas aos negócios; sociedade.
Necessita de dinheiro para formar alianças.
Precisa criar alianças para obter dinheiro e realizar negócios.

25 e 35 (A Segurança)

Alianças que trazem segurança.
Necessita formar alianças para ter o patrimônio.
Ter confiança nas alianças.

25 e 36 (A Vitória)

Vitória que traz novas alianças.
A vitória que está chegando por intermédio de alianças.
Necessita formar alianças para atingir as metas propostas.
As alianças triunfando, saindo vitoriosas.

Carta nº 26 – Os Livros

26 e 27 (O Aviso)

Um aviso a respeito de estudos ou trabalho.
Necessita de notícias sobre os estudos ou trabalho.

26 e 28 (O Cigano/O Homem)

O homem que precisa ser esperto, usar a cabeça.
O homem ideal que chega pelo trabalho ou pelos estudos (para a mulher).
Um homem relacionado ao trabalho.

26 e 29 (A Cigana/A Mulher)

Uma mulher ideal que chega por meio dos estudos ou do trabalho (para o homem).
Uma mulher que precisa ser esperta, usar a cabeça.
Uma mulher relacionada ao trabalho.

26 e 30 (Os Rios)

A paz nos estudos ou no trabalho.
Necessita de paz para estudar ou trabalhar.
Precisa de trabalho para alcançar a paz.

26 e 31 (O Sol)

Necessita progredir, crescer, para arrumar trabalho.
O crescimento que chega por meio do trabalho ou dos estudos.
Seja astuto para arranjar trabalho.

26 e 32 (As Honrarias)

Precisa ganhar merecimentos na área do trabalho.
Necessita ser esperto para obter honrarias.
Merecimento na área do trabalho ou no setor dos estudos.

26 e 33 (As Soluções)

Soluções que aparecem no trabalho ou nos estudos.
Necessita achar soluções para os estudos ou para o trabalho.
Precisa ser astuto, maduro, para achar as soluções.

26 e 34 (A Matéria)

Necessita ser esperto para conseguir ganhar dinheiro.
Você está trabalhando com finanças.
Dinheiro que vem por meio do trabalho ou estudos.
Você está concretizando o desejo de saber mais.

26 e 35 (A Segurança)

Necessita arrumar trabalho para obter segurança.
Segurança nos estudos ou no trabalho.
Ter confiança na inteligência.

26 e 36 (A Vitória)

O trabalho que conduz ao sucesso.
A vitória por intermédio dos estudos ou do trabalho.
Você age com esperteza para obter vitória.

Carta nº 27 – O Aviso

27 e 28 (O Cigano/O Homem)

Notícias a respeito de um homem.
Um homem portador de notícias.
Alguma coisa que está para acontecer relacionada ao homem ideal (para a mulher).

27 e 29 (A Cigana/A Mulher)

Uma mulher portadora de notícias.
Notícias a respeito de uma mulher.
Alguma coisa que está prestes a acontecer em relação a uma mulher ideal (para o homem).

27 e 30 (Os Rios)

A paz que é revelada.
Necessita de notícias que transmitam paz.
Lembre-se que a paz existe e é possível concretizá-la.

27 e 31 (O Sol)

O crescimento, o progresso que tem prioridade.
Necessita receber notícias para progredir.
Precisa de crescimento para virar notícia.

27 e 32 (As Honrarias)

Destaque para as honrarias.
Necessita receber aviso de merecimento.
Você está merecendo receber notícias a respeito de honrarias.

27 e 33 (As Soluções)

Um aviso de que existe uma solução.
Necessita do recebimento de notícias para achar as respostas.
Soluções para as notícias que estão chegando.

27 e 34 (A Matéria)

Você prioriza os negócios.
Necessita receber notícias a respeito de negócios, dinheiro.
Notícias que se concretizam.

27 e 35 (A Segurança)

Um aviso de que é para ter fé.
Necessita receber notícias a respeito do patrimônio.
Precisa de segurança para conseguir ter notícias.
Ter confiança nas mensagens.

27 e 36 (A Vitória)

Você está recebendo avisos sobre alguma vitória.
A vitória destacando-se.
Lembrar que a vitória tem o seu potêncial.
Necessita receber notícias a respeito de vitória.

Carta nº 28 – O Cigano

O Homem no Tarô Cigano

28 e 29 (A Cigana/A Mulher)

O homem encontra a mulher ideal (para o homem).
A mulher encontra o homem ideal (para a mulher).
Os dois se completam perfeitamente; são almas gêmeas.

28 e 30 (Os Rios)

A paz que chega para o homem (no jogo dele).
Um homem que traz a paz.

28 e 31 (O Sol)

Um homem que se encontra em estado de progresso, crescimento.
Um homem que procura progredir, crescer.
O crescimento, o progresso que chega para o homem.
Necessita progredir, crescer, para achar o homem ideal (para a mulher).

28 e 32 (As Honrarias)

O homem que recebe honrarias.
Um homem que procura os merecimentos.
Necessita das honrarias para o homem ideal (no jogo da mulher).

28 e 33 (As Soluções)
O homem que encontra as respostas.
Um homem trazendo soluções.
Um homem que busca soluções, respostas.
Soluções para que se possa achar o homem ideal (no jogo da mulher).

28 e 34 (A Matéria)
Um homem ligado aos negócios.
Um homem materialista.
Um homem que necessita fazer negócios.
Dinheiro, negócios, que chegam por meio de um homem.

28 e 35 (A Segurança)
Um homem que traz a segurança.
Um homem que procura a segurança.
Você procura segurança por meio do homem ideal (no jogo da mulher).
Ter confiança no homem.

28 e 36 (A Vitória)
Um homem que consegue vencer.
Um homem que procura a vitória.
Necessita atingir a vitória para conseguir o homem ideal (para a mulher).
Um homem que triunfou, vitorioso.

Carta nº 29 – A Cigana

A Mulher no Tarô Cigano – A Rainha Cigana

29 e 30 (Os Rios)
A mulher que encontra a paz (no jogo do homem).
A mulher portadora da paz.
Necessita de paz para achar a mulher ideal (para o homem).
A mulher em estado de paz.

29 e 31 (O Sol)
Uma mulher que procura crescer, progredir.
Uma mulher que está progredindo, crescendo.
O crescimento, o progresso, que chega para a mulher.
Necessita crescer para achar a mulher ideal (para o homem).

29 e 32 (As Honrarias)
A mulher que recebe honrarias.
A mulher buscando merecimentos.
Necessita de merecimentos para a mulher ideal (no jogo do homem).
A mulher que traz honrarias (para o homem).

29 e 33 (As Soluções)
A mulher que encontra as soluções.
A mulher que é portadora das soluções.
A mulher que busca as soluções.
Soluções para achar a mulher ideal (no jogo do homem).

29 e 34 (A Matéria)

Uma mulher de negócios.
Uma mulher materialista.
Uma mulher que tem necessidade de realizar negócios.
Dinheiro, chance de fazer negócios, que vem por meio de uma mulher.

29 e 35 (A Segurança)

Uma mulher portando segurança.
Uma mulher procurando segurança.
Você busca segurança por meio da mulher ideal (no jogo do homem).
Necessita ter segurança para achar a mulher ideal (para o homem).
Precisa ter confiança na mulher.

29 e 36 (A Vitória)

Uma mulher que busca vitória.
Uma mulher que logra vitória.
Necessita ter a vitória para conseguir a mulher ideal (para o homem).
A mulher triunfante, vitoriosa.

Carta nº 30 – Os Rios

Força Viva e Vibratória dos Rios – Oxum

30 e 31 (O Sol)

A paz que traz o crescimento, o progresso.
O crescimento, o progresso que traz a paz.

Necessita de paz para crescer, progredir.
Necessita progredir, crescer para ter a paz.

30 e 32 (As Honrarias)

A paz por meio dos merecimentos.
Merecimento para obter a paz.
Necessita receber honrarias para conseguir a paz.

30 e 33 (As Soluções)

As soluções destinadas a paz.
Necessita ter paz para achar as soluções.
Precisa encontrar as respostas para obter paz.
A paz que traz as soluções, as respostas.

30 e 34 (A Matéria)

Dinheiro, finanças, em paz.
Necessita de paz para realizar negócios.
Precisa fazer negócios para obter paz.
O dinheiro que traz a paz.

30 e 35 (A Segurança)

A paz que traz segurança.
Necessita de segurança para obter a paz.
Precisa de paz para se sentir confiante.
A segurança portadora da paz.
É preciso ter confiança na paz.

30 e 36 (A Vitória)

A vitória que traz a paz.
Necessita da vitória para obter paz.
Precisa de paz para atingir as metas propostas.
A paz que traz a vitória.
A vitória, o triunfo da paz.

Carta nº 31 – O Sol

Força Viva e Vibratória do Sol – Oxalá

31 e 32 (As Honrarias)

O crescimento, o progresso que traz honrarias.
Necessita progredir, crescer, para receber as honrarias.
Precisa de honrarias para obter progresso, crescimento.

31 e 33 (As Soluções)

Soluções para o progresso, para o crescimento.
Necessita progredir, crescer, para achar as respostas.
Necessita de soluções para progredir, crescer.

31 e 34 (A Matéria)

Prosperidade nos negócios.
Necessita realizar negócios para crescer, progredir.
Precisa progredir, crescer, para fazer negócios.

31 e 35 (A Segurança)

Necessita crescer, progredir, para obter segurança.
O crescimento que traz a segurança e o patrimônio.
Precisa de segurança para obter progresso, crescimento.
Você deve ter confiança no potêncial de expansão de energia.

31 e 36 (A Vitória)

A vitória por meio do progresso.
Necessita crescer, progredir, para obter vitória.

Precisa de vitória para conseguir progredir, crescer.
O progresso, o crescimento, e a luz que saem vitoriosos.

Carta nº 32 – As Honrarias

32 e 33 (As Soluções)

As soluções que trazem honrarias.
Necessita achar respostas para conseguir merecimentos.
Precisa receber honrarias para obter a chance de conhecer as soluções.

32 e 34 (A Matéria)

Honrarias que trazem negócios.
Necessita realizar negócios para obter honrarias.
Precisa de merecimentos para conseguir fazer negócios.
Você recebe dinheiro pelo fato de merecê-lo.

32 e 35 (A Segurança)

A segurança que traz honrarias.
Necessita de segurança para ganhar merecimentos.
Honrarias com segurança.
Você precisa ter confiança nos merecimentos e nas honrarias.

32 e 36 (A Vitória)

A vitória que traz honrarias.
Necessita conseguir vitória para ter direito às honrarias.
Precisa de reconhecimento para sair vitorioso(a).
As honrarias e os merecimentos que saem triunfantes, vitoriosos.

Carta nº 33 – As Soluções

33 e 34 (A Matéria)
Soluções para os assuntos relacionados a dinheiro e para os negócios.
Necessita realizar negócios para obter respostas.

33 e 35 (A Segurança)
A segurança que traz as respostas.
Necessita ter segurança para achar as respostas.
Precisa achar soluções para obter segurança.
Ter confiança nas respostas.

33 e 36 (A Vitória)
A vitória que traz as soluções.
Necessita ter as soluções para traçar metas.
Precisa conseguir a vitória para obter as soluções.
As soluções que triunfam, saem vitoriosas.

Carta nº 34 – A Matéria

34 e 35 (A Segurança)
Você realiza negócios com segurança.
Necessita ter segurança para realizar negócios.
Precisa de dinheiro para obter segurança.
Você deve concretizar a segurança.

34 e 36 (A Vitória)
Vitória, triunfo nos negócios.
Necessita realizar negócios para obter vitória.
Precisa concretizar as metas para obter dinheiro.
Vitória de ordem material.

Carta nº 35 – A Segurança

35 e 36 (A Vitória)
A vitória que traz a segurança.
A segurança conduzindo a vitória, ao triunfo.
Necessita ter segurança para atingir a vitória.
Precisa ter vitória para obter segurança.
Ter confiança na capacidade de alcançar a vitória.

As Cartas

Carta nº 1 – O Mensageiro

Os objetivos que se têm em vista serão realizados e concretizados. Uma coisa que ainda não foi definitivamente materializada, mas está prestes a concretizar-se.

EXU – Há muita controvérsia nessa figura conhecida na cultura afro-brasileira. Ele é o "mensageiro" entre os Orixás e o homem. Trata-se de um elemento dinâmico de todas as coisas que existem. É o princípio de comunicação e expansão. Ele leva os pedidos aos Orixás e depois volta, trazendo as respostas. É um autêntico mediador, pois consegue fazer com que as oferendas sejam aceitas e ainda abre os caminhos, promovendo um relacionamento satisfatório entre o mundo material e o sobrenatural. Seu correspondente é o elemento fogo, e sua essência é dinamismo, o movimento. É ele quem dá condições de os seres vivos, que povoam a Terra, nascerem, levando-os, após sua morte, de volta ao Cosmos. Tem poder para circular de um lugar para outro e também para incursionar pelo reino dos que já desencarnaram.

Dia da semana	– Segunda-feira
Cores	– Vermelho e preto
Elemental	– Salamandra
Mantra	– Laroiê!
Pedras	– Granada, obsidiana, rubi

Carta nº 2 – Os Obstáculos

São as várias situações confusas e adversas que temos de enfrentar na vida. Tais situações ocorrem, na verdade, para nos "testar" e aferir nossa capacidade de enfrentá-las, por meio de nossas atitudes e relações.

Podem estar ocorrendo em qualquer setor de atuação específica.

São os "obstáculos e bloqueios" que foram colocados por "terceiros" no nosso trajeto pela vida. O objetivo desses obstáculos é nos atrapalhar e retardar a materialização dos nossos objetivos.

Esses bloqueios têm a missão de atrasar o nosso desenvolvimento e de nos deixar como que perdidos, desnorteados. É comum muitas pessoas, que vivem esse momento, dizerem: "Estou entre a cruz e a espada. Não sei o que fazer", ou ainda: "Parece que tem alguma coisa que não quer que eu progrida na vida"

No entanto, essa é uma situação de momento. Se forem tomadas medidas acertadas, tais obstáculos podem ser superados e vencidos, sem problemas ou sequelas.

Vale também interpretar esta carta como sendo um sinal de alerta. Exemplo: Cuidado! Alguma coisa na sua vida não anda bem. Tente analisar os vários aspectos de sua vida para detectar o que não anda de acordo.

Carta nº 3 – O Mar

Representa mudanças, para melhor, que acontecem no plano material e no plano espiritual.

Pode ter também o significado de saúde ou viagem. Correção de rumo na trajetória da vida.

IEMANJÁ – É a divindade das águas salgadas. A deusa do mar. Considerada como sendo a mãe dos Orixás, tem relação com a maternidade, ainda que a gravidez e o parto estejam relacionados a Oxum. Iemanjá é a mãe da água e controla a fertilidade das mulheres. É uma rainha em toda a extensão da palavra: majestosa, bonita e imponente. Representa um tipo de mulher robusta, forte, alta, muito sensual e fecunda. É dona da riqueza e faz com que as pescarias sejam bem-sucedidas e as colheitas fartas. É bastante generosa e pródiga; oferta dinheiro e alimento material. Ela é capaz de criar e sustentar os filhos de outrem.

Dia da semana	– Sábado
Cores	– Prata, prateado ou azul-claro
Mantra	– Odofiaba!
Elemental	– Nereidas, ondinas
Pedras	– Opala, água-marinha, pedra-da-lua

Carta nº 4 – O Equilíbrio

A casa representa simbolicamente nosso equilíbrio interior, apresentando suas medidas de forma harmônica e adequada.

É o nosso sustentáculo, ou seja, nosso ponto de apoio, onde ocorre um recarregamento de nossas energias e nos preparamos para as batalhas que ainda estão por vir.

Também pode representar a casa física, o lugar onde moramos, nosso lar.

Existe uma reconhecida semelhança com a imagem da família ideal, aquela que desejamos e ficaríamos felizes em materializar.

Além disso, pode representar também os familiares, os parentes e, até mesmo, pessoas próximas a nós, mas que não possuem laços sanguíneos. Os vizinhos, para exemplificar.

Mostra que além de o equilíbrio existir, ele também pode ser alcançado.

Carta nº 5 – As Árvores

Representa uma troca de energias entre as pessoas. Também significa dar, receber, dividir, compartilhar, relacionamentos pessoais, compartilhar atitudes e pensamentos.

OXÓSSI – É o filho de Iemanjá e Oxalá, o deus da caça. Foi um verdadeiro caçador de elefantes (animal que está relacionado aos antepassados e à realeza). Mora na floresta, onde habitam os espífritos. Tem um bom relacionamento com as árvores, dominando os seus espíritos.

Também cultiva um relacionamento bom com os animais, sendo que seus gritos estão próximos da perfeição. É um caçador ágil, valente, generoso. Propicia a caça e defende contra o ataque dos animais ferozes. Conhece bem a natureza e as plantas. Está relacionado ao frio, à luz e à noite. É ligado a Exu e a Ogum. Jurema é a árvore sagrada, onde vivem os caboclos.

Carta nº 6 – Os Ventos

Mente confusa, tumultuada. Alguma coisa não muito clara, pouco nítida. Certa inclinação a tirar conclusões precipitadas, erradas. Algo de natureza passageira e algumas turbulências momentâneas.

IANSÃ – É a filha de Iemanjá e Oxalá. Uma divindade complexa, que está ligada a todos os elementos da natureza. Relaciona-se à água, por meio da chuva, da tempestade e ao ar, através da forma do ar em movimento. É, também, a divindade dos ventos, das tempestades, a dona dos lugares elevados, onde sopra o vento da morte, capaz de destelhar e destruir casas, ao anunciar a vinda de Xangô.

Simboliza um aspecto hostil e perigoso da natureza. Os Orixás possuem as Ervas de Fundamento graças a Iansã. É a deusa do raio, ou seja, o fogo do céu. Sua íntima relação com o fogo e o movimento a tornam uma divindade com um forte magnetismo. Seu relacionamento com a terra é expresso por meio de sua associação com os mortos, as árvores e as florestas.

Representa também a perpetuação das gerações, tanto no passado quanto no futuro.

Dia da semana – Quarta-feira
Cores – Vermelho, laranja
Mantra – Hepahei!
Elemental – Elfos e silfos
Pedras – Rubi, coral

Carta nº 7 – O Arco-Íris

Representa desarmonias, discórdias, brigas. Pessoas de má índole fazem de tudo para desestruturar. É muito perigoso, por ser intencional. Conflitos, confusões, desavenças, brigas.

OXUMARÉ – É o filho de Nanã e de Oxalá. Oxalá do arco-íris, representa o bom tempo, através de uma serpente. Esteve atuando na criação do mundo, enrolando-se em volta da Terra. Ajudou na reunião da matéria e na concepção da forma do mundo. Mantém o Universo e faz com que os astros permaneçam em movimento. Controla a regularidade dos movimentos celestes, bem como os deslocamentos da matéria. Também está presente no controle dos movimentos dos mares e oceanos. Simbolizado pela cobra que morde a cauda (uroboro), representando a continuação do movimento e do ciclovital. A grande cobra dos lugares mais profundo que vem para o céu, beber. Carrega a água dos rios e das marés para o céu, para que assim a chuva possa se formar.

Dia da semana – Terca-feira
Cores – Amarelo, verde
Mantra – Arroboboi!

Elemental — Elfos e silfos
Pedras — Turmalina (em varios matizes), ametista

Carta nº 8 – As Perdas

O Tarô Cigano não tem uma carta que represente a morte, como há em outros tipos de Tarô.

Como o povo cigano é por demais místico, a morte é um assunto que jamais se pesquisa. Trata-se apenas de um estado de transição cármica, de onde se retornará para um "outro corpo" e assim prosseguirá no processo de evolução espiritual.

Esta carta simboliza a perda de energia própria, alguma coisa que já não tem mais vida, ou seja, que perdeu sua característica vibracional.

Significa também uma interrupção, um intervalo, uma conclusão, o final de um ciclo.

Pode estar relacionada ao mundo material ou ao mundo espiritual, devido à sua analogia com os mortos.

Carta nº 9 – A Chuva

Algo muito profundo, que vem do nosso interior. Transborda com a alegria irradiada pelas flores do campo. Alegrias sinceras e profundas. Sentimentos reais, verdadeiros.

NANÃ – É uma divindade da água, da terra, do lodo, da matéria-prima de onde tudo nasce e com a qual foi moldado o primeiro homem. Ela reina absoluta na água-doce e nos pântanos.

Alia-se a Oxalá na criação do mundo. É velha, assim como Oxalá, e seu número de anos revela seu elevado *status* na hierarquia das divindades. É-lhe atribuído o título de mãe de todos os seres.

Quando a Terra era uma bola de fogo, Nanã (a chuva) tratou de resfriar a sua crosta, permitindo o nascimento dos seres vivos. É a entidade que dá, em forma de empréstimo, seu poder ao feiticeiro. Está relacionada à fecundidade e à maternidade. Tem relação com a fertilidade dos campos e com a agricultura. Também é considerada a mãe dos mortos, ou seja, nossos antepassados.

Dia da semana	– Sábado
Cores	– Roxo, lilás, violeta
Mantra	– Saluba!
Elemental	– Fadas, ondinas, nereidas
Pedras	– Ametista, lilás

Carta nº 10 – As Transformações

Alguma coisa que está passando por um processo de transformação.

Algo sendo reavaliado, reformulado, com o intuito de melhorar. Precisa ser conduzido até o término, a sua conclusão. Isso faz parte do processo de evolução pessoal.

OBALUAIÊ – Filho de Nanã e de Oxalá. É uma divindade da terra. A terra é sua, é dura, é quente. É o Rei do Mundo. Favorece a fertilidade dos campos e as colheitas fartas. É conhecido também como O VELHO, com toda a autoridade, poder e prestígio que a idade lhe confere. É o senhor da febre e das doenças contagiosas.

Está fortemente ligado ao aspecto mais terrível do fogo e, assim sendo, pode gerar enfermidades como também curá-las. A enfermidade pode ser o castigo daqueles que não lhe obedecem.

Há a possibilidade, também, de ser como um sinal, com o qual marca seus escolhidos. É considerado senhor do cemitério, pois tem amplos poderes de domínio sobre as doenças fatais. Foi tratado por Iemanjá, que o curou da varíola. Simboliza o mistério da morte e do renascimento.

Dia da semana	– Segunda-feira
Cores	– Branco e preto
Mantra	– Atotô!
Elemental	– Duentes, gnomos
Pedras	– Turmalina negra, ônix

Carta nº 11 – A Magia

A palavra "magia" pode ser definida assim: conhecimento de leis extrafísicas, que interagem no mundo material ou mundo terreno.

Quer dizer a força, a energia criadora da qual imbuímos nossos desejos, a fim de que eles se concretizem.

É o poder da mente que "empurra" nossa vontade e que dá vida aos objetos simbólicos presentes nas cerimônias ritualísticas.

Isso não significa macumba, quimbanda ou qualquer espécie de bruxaria.

A magia branca, assim como a magia negra, não existem por si só. Tais práticas necessitam da força mental de quem se serve delas e do seu grau de consciência.

O seu resultado final é nada mais do que a consequência do rumo que damos a essas forças.

Carta nº 12 – As Alegrias

A representação dos pássaros que cantam em grupos nos transmite contentamento, felicidade e alegria.

É o prazer que sentimos ao receber certas atenções e delicadezas que, na verdade, não estávamos esperando.

O romantismo, o namoro, a paquera; coisas tao significativas que nos impedem de cairmos na massacrante rotina.

O fato de prestarmos atenção aos galanteios, aos detalhes e darmos o devido valor àquilo que o outro faz.

É a "cor da vida", o que faz com que destaquemos da paisagem e tomemos consciência de que sem ele tudo fica sem graça.

O "estado de graça" que toma conta de nós, quando nos sentimos apaixonados.

Carta nº 13 – A Criança

Representa a "criança" que cada um possui dentro de si. A criança está sempre aberta para o mundo, disposta a aprender tudo o que lhe for ensinado.

Está apta a vivenciar novas experiências, sem demonstrar prevenções ou preconceitos.

É o nosso lado mais verdadeiro e sincero, que traz o aspecto autêntico da fase da infância, com suas perguntas e indagações curiosas.

Fornece-nos informações seguras com respeito às reais intenções das pessoas que nos cercam.

É o que se conhece por "sexto sentido", que pode nos salvar de muitos transtornos, desde que seja levado a sério.

Também pode simbolizar criança pequena ou, até mesmo, filhos.

Tem trânsito livre no mundo espiritual.

ERÊ

Dia da semana	– Domingo
Cores	– Todas
Mantra	– Erê, Erê, Mi!
Elemental	– Salamandras, elfos, duendes, fadas,

Pedra   silfos, gnomos, ondinas...
                 – Quartzo rosa

Carta nº 14 – As Armadilhas

Uma raposa que tenta se disfarçar atrás de uma árvore. Ela tenta mostrar uma coisa que, na verdade, ela não é.

Tenta enganar, ludibriar, mentir, trair, inventar informações em seu próprio proveito.

Pode representar uma pessoa específica ou ainda uma situação arquitetada para nos envolver, fazer com que nos distraiamos em relação ao nosso objetivo original e, assim, impedir que atinjamos nossas metas propostas anteriormente.

É a famosa "lábia", típica daqueles que gostam de levar vantagem em tudo. Também conhecida popularmente como a "lei de Gérson".

Pode servir como uma espécie de "aviso" para que tomemos cuidado e passemos a agir com maior cautela.

Carta nº 15 – As Falsidades

Representa o "amigo urso", aquele que nos é íntimo e se utiliza desse contato para nos atrapalhar a vida.

É aquele que se faz passar por grande amigo, enquanto, na verdade, não o é.

Também é o que nos abraça, mas crava suas garras em nossas costas.

Suas armas preferidas são a inveja e a falsidade. Nas mãos dele, são armas poderosíssimas.

Esta é a pior carta do Tarô Cigano, porque, infelizmente, o "olho grande" continua sendo o maior e pior feitiço de todos que existem, já que não precisa se manifestar materialmente.

São os que perdem boa parte do seu tempo tendo inveja dos outros, em vez de saírem à luta para conquistarem o que tanto desejam.

Simbolizam todas as pessoas negativas que atravessam em nosso caminho.

Carta nº 16 – A Sorte

A estrela de cinco pontas simboliza o homem perfeito. Desde a Antiguidade, é associada ao equilíbrio espiritual.

É o nosso carma, isto é, todas as experiências que nos acompanha desde há muito tempo, na verdade, de encarnações passadas, e que está escrito no caminho, em nossa trajetória por este mundo.

Representa a luz que nos norteia, mostrando-nos, no meio da escuridão, o caminho que deve ser seguido.

Cada um de nós tem a sua própria estrela-guia. É ela que formula a mensagem mais importante, quando se termina a interpretação das cartas do Tarô Cigano.

É a energia luminosa emanada por nossos protetores espirituais.

Carta nº 17 – As Novidades

Uma cegonha voando entre nuvens rosadas, levando no bico um ramo de oliveira. Essa representação simbólica se traduz em bons augúrios.

São oportunidades boas que estão por vir, em breve ou para o futuro.

Podem ser pessoas, coisas, ideias, relações novas. Haverá uma possibilidade de quebrar a cansativa rotina e "arriscar", ousar.

Não temer desafios. Ter segurança suficiente para iniciar alguma coisa ainda desconhecida por nós. E fazê-lo sem olhar para trás.

Reforça a ideia de que é o futuro que está no nosso trajeto e não o passado, que não volta mais. Diz que é para não recordarmos fatos passados. Ressalta o fato de que devemos viver um dia de cada vez, sem pressa ou atropelos.

Carta nº 18 – Aliado

Figura representada por um cachorro alerta, vigilante, em guarda, prestes a nos defender de ameaças, perigos e ataques dos inimigos.

É o melhor amigo do homem. É digno de confiança, pois é capaz de pular na nossa frente, com o intuito de nos defender.

Pode ser alguém do plano material ou um protetor espiritual.

Também representa uma certa situação que pertence às nossas expectativas.

Alguma coisa sincera, verdadeira, autêntica, que não se valerá de subterfúgios ou desculpas esfarrapadas.

É justamente o oposto do "amigo urso". Existe para que o equilíbrio seja alcançado. Mostra-nos a harmonia dos opostos.

Carta nº 19 – A Espiritualidade

A torre, no Tarô Cigano, significa todas as coisas que fazem parte do nosso Eu verdadeiro. Representa o que somos por dentro, em essência, e não a imagem que passamos ao mundo material.

É a nossa "centelha divina", nossa alma, nossa parte espiritual que jamais morre ou termina.

Tem a responsabilidade de evoluir e de se desapegar dos apelos materiais.

Pertence ao mundo paralelo, desenvolve-se conosco, mas pertence a um plano mais sutil.

Chama-nos a atenção para que não percamos tempo, tentando obter respostas no mundo material.

Carta nº 20 – As Ervas

Representa o lado mais belo da vida.
Tudo aquilo que depende única e exclusivamente do nosso esforço.
Aquilo que semeamos no nosso jardim e o que será colhido depois. Também significa vida longa.
OSSAÊ – Filho de Iemanjá e Oxalá. Vive nas florestas. É o Orixá das folhas litúrgicas e medicinais, sendo considerado como o Orixá da medicina. É o dono de todas as folhas, para cada espécie de enfermidade, de coisas ruins ou boas, para se alcançar a felicidade, a paz e vida longa. As folhas são, em realidade, portadoras do "Axé", ou seja, força mística. Sem ele, nada se pode fazer, porque as folhas sagradas são indispensáveis para promover purificações e nos rituais iniciáticos. Está intimamente ligado à terra, mantendo constante contato com os pássaros e também com os caçadores. Também se relaciona com Oxóssi, Ogum, com as árvores e com os espíritos dos ancestrais.

Dia da semana	– Quinta-feira
Cores	– Vermelho e azul
Mantra	– Eu Eu!
Elemental	– Fadas, gnomos, duentes
Pedra	– Turquesa

Carta nº 21 – As Pedras

Significa a justiça reinando absoluta, independente de quaisquer interesses individuais.
Os fatos sendo avaliados de maneira real.
A justiça divina prevalece sempre.
Pode significar também papéis importantes, documentos ou procurações.

XANGÔ – Filho de Iemanjá e de Oxalá, irmão de Oxóssi e Ogum. Foi casado três vezes. Sua esposa mais velha era Obá, a menos amada, que tinha muito ciúme das outras. Foi muito apaixonado por Oxum. Raptou Iansã e procurou o "talismã mágico" para conseguir derrotar seus inimigos. É o comandante das forças da natureza que estão relacionadas à violência. Comanda a trovão, que aparece depois do raio de Iansã. É um Orixá do fogo. Governa o raio, fogo sobrenatural do céu, o trovão e lança pedras desde o céu. Provoca o dinamismo nos elementos na natureza. Do encontro desses elementos nascem os fenômenos acima descritos. Os mitos demonstram claramente que Xangô ganha o poder, relacionado ao fogo, ao movimento, à fecundidade, à vida através da mulher.

Esta o recebe do pai e transmite ao filho. É aquele que distribui justiça.

Dia da semana	– Quarta-feira
Cores	– Vermelho e branco ou marrom e branco
Mantra	– Kao Kabiecilê!
Elemental	– Salamandras
Pedras	– Pedra-de-fogo, diamante

Carta nº 22 – Os Caminhos

O rumo da vida de cada pessoa.
O que está reservado em nossa jornada pela vida.
A nossa estrada, o nosso caminho.
O que ocorre no presente momento.

OGUM – Depois de Exu, Ogum é o Orixá que está mais perto dos homens. É o primogênito de Iemanjá. É o deus do ferro, elemento oculto nas entranhas sem luz da Terra. Introduziu a agricultura aos homens, pois os homens jamais poderiam trabalhar a terra sem as ferramentas forjadas por ele. Tem laços fortes e estreitos com os antepassados. Protege a todos que trabalham com ferramentas e máquinas. Foi o primeiro a se revoltar contra o poder. Ele desembaraça caminhos, tirando da frente os obstáculos, vence batalhas, incute civilização no mundo, dá alimentos e vence todas as demandas que porventura surgirem.

Dia da semana	– Terça-feira
Cor	– Azul-marinho
Mantra	– Patakori!
Elemental	– Salamandras
Pedras	– Hematita, safira

Carta nº 23 – Os Desgastes

A figura do rato roendo imerso na escuridão nos transmite a sensação de desgaste, de energia sendo roubada, o que provoca desânimo.

É o que chamamos de "vampirismo espiritual". São pessoas que usam os outros a fim de obter proveito próprio.

É uma coisa que vem acontecendo há algum tempo, mas só foi notada agora.

São aquelas "pequenas perdas": os roubos, as chateações, o esquecimento.
Podem se manifestar no plano espiritual e no material.
Não se trata de uma "enfermidade", mas se não houver um revigoramento, pode enfraquecer as defesas psíquicas, causando danos irreparáveis.

Carta nº 24 – Os Sentimentos

Representa a "explosão do coração", o que significa a expansão dos sentimentos.
É nosso lado sensível, nervoso, emotivo.
Emoções bastante profundas.
São determinadas situações que bloqueiam nossa razão, fazendo com que tomemos atitudes impensadas, intempestivas.
O amor e o ódio são "sentimentos profundos".
Também demonstra nosso estágio de sensibilidade, a maneira como "os nervos estão à flor da pele".
São as "ondas de emoção" que nos tomam de assalto e interferem em nosso raciocínio.

Carta nº 25 – As Alianças

Simbolizam "dois elos" de uma mesma corrente.
Podem ser duas ideias que se unem para atingir objetivos que não poderiam ser alcançados de maneira isolada.
É "pedir ajuda", dar as mãos, unir-se para promover a evolução de outras pessoas.
Pode ser uma união conjugal (matrimônio), profissional (algum tipo de sociedade) ou mesmo a montagem de equipes e grupos.

Considerar-se como sendo a parte de um inteiro, mas com consciência de que sozinhos, isolados do mundo, não somos nada nem ninguém. Necessitamos da força e do apoio do grupo do qual fazemos parte.

Carta nº 26 – Os Livros

Simbolizam todo o conhecimento que adquirimos no decorrer de nossa existência.

É a inteligência, a sabedoria. São todas as informações que incutimos em nossa mente, que nos possibilitam achar soluções para os problemas que se nos apresentam.

Pode representar o local físico onde conseguimos desenvolver nossa atividade profissional ou onde obtivemos nossos conhecimentos – um local de estudos.

Também significa a profissão ou o estudo específico do indivíduo.

Carta nº 27 – O Aviso

Esta carta tem muita importância no Tarô Cigano. Ela é utilizada para ressaltar uma ou mais informações importantes.

É a mensagem específica de uma determinada interpretação.

Pertence ao momento presente que a pessoa está atravessando. Não se trata de uma previsão.

Quando ela sai, sublinha todas as demais cartas que a acompanham. É uma espécie de reforço às cartas que estão na vizinhança.

É a mesma coisa que dizer: "Cuidado!", "Fique atento!", "Ei, preste atenção!". Há uma situação desse tipo na sua vida, mas você ainda não tomou conhecimento dela.

Carta nº 28 – O Homem (O Cigano)

Esta carta representa a figura masculina no Tarô Cigano. Pode ser o pai, o filho, o marido, o chefe, o companheiro, o amigo ou até mesmo o companheiro ideal.

É o homem que está representado em seu próprio jogo. Serve para mostrar o que acontece ao seu redor. Uma coisa que afeta você diretamente.

Se o jogo pertencer a uma mulher, também pode significar o complemento perfeito, ainda que este não tenha se concretizado. É o par, a "alma gêmea" da cigana.

Carta nº 29 – A Mulher (A Cigana)

Esta carta representa a figura feminina no Tarô Cigano. Pode estar representando a mãe, a filha, a esposa, a patroa, a amiga, a companheira e, até mesmo, a companheira ideal.

Sua simbologia é dotada de uma grande energia magnética.

Representa também a entidade espiritual – a Rainha Cigana. Ela codificou as informações mágicas e deu condições para que qualquer pessoa interpretasse as cartas do Tarô Cigano, mesmo nunca tendo se utilizado de magia antes.

É a senhora da visão. Ela tem em seu poder a estrela, que se traduz em mensagens importantes.

É a feiticeira que resolve os mistérios.

É a mulher representada no seu próprio jogo. Mostra o que acontece a sua volta e o que a afeta diretamente.

Carta nº 30 – Os Rios

Significa muita paz. Uma paz de natureza profunda e intensa. Também quer dizer paz consigo próprio. E ainda: paz interior.
OXUM – Divindade feminina. É a filha de Iemanjá e de Oxalá. Está relacionada às artes divinatórias. É Orixá da água doce (rios, cachoeiras, lagos), da riqueza, do amor e da beleza. Das águas que brotam da terra. É a divindade das mulheres. Preside as funções fisiológicas do sexo feminino, tais como a gravidez, o parto, a menstruação. Tem uma função muito importante nos rituais de iniciação. É a "mulher-menina", que "joga" com seus encantos. Dá proteção às crianças, até que elas comecem a se expressar por meio da fala.

Dia da semana	– Sábado
Cores	– Dourado, ouro, amarelo
Mantra	– A iê iê, ô!
Elemental	– Nereidas, ondinas
Pedra	– Topázio

Carta nº 31 – O Sol

Representa crescimento, força, energia, luz, expansão. Também se relaciona à força criativa e criadora.
OXALÁ – É o pai, o chefe de todas as divindades da cultura afro-brasileira.
É o Orixá da criação, ligado à criação do mundo. Filho de Olorum, é tido como o pai de todas as divindades. É o deus da criação, que comanda os elementos primordiais: água, fogo, terra e ar. É a massa de ar primitiva, de onde tudo teve seu início. É a umidade que fecunda, nascida do sopro da abóbada celeste. Representada por Obatalá é também a imagem da Terra

e das águas que a cobriam, no início, simbolizada por Oduduá. Obatalá é o princípio masculino, relacionado à ideia da fecundacão, do sopro, do poder criador que tem o verbo. Oduduá é o princípio feminino, ligado à imagem da gestação, ao mar e à terra. É o símbolo da criação dos seres vivos, homens e animais no mundo sobrenatural – Orum – cujos duplos vêm encamar na Terra. É do plano sobrenatural que o nosso mundo recebe a vida.

Dia da semana	– Sexta-feira
Cor	– Branco
Mantra	– Exeueu Baba!
Elemental	– Salamandra
Pedra	– Diamante

Carta nº 32 – As Honrarias

A Lua em quarto crescente tem, para o Povo do Oriente e para todos aqueles que se servem da magia cigana, uma energia magnética e mágica por demais poderosa.

Ela simboliza a influência que recebemos do plano astral. São nossos merecimentos, nossas honrarias que passam a ser reconhecidos por todos aqueles que estão à nossa volta.

Ter o próprio valor reconhecido e considerado pelos demais. Significa também a compensação de todos os esforços, todas as batalhas, as lutas, enfim, tudo aquilo no que nos empenhamos em favor de alguma pessoa ou de alguma meta específica.

Carta nº 33 – As Soluções

Aqui a chave está formando movimentos circulares positivos. Está formando círculos concêntricos de energia positiva.

Isso tem o objetivo de solucionar as perguntas, as dúvidas e as incertezas.

Demonstra, também, que existe solução para quaisquer problemas. É necessário, no entanto, que nos empenhemos mais e melhor, já que ela pode ser alcançada logo.

Mostra-nos as medidas a serem tomadas com relação a um certo assunto ou problema.

Ressalta, sobretudo, o fato de que não adianta chorar o leite derramado. O que está feito, está feito e não pode ser mudado. É uma lição para a próxima "batalha" da vida.

Carta nº 34 – A Matéria

Nos áureos tempos da Antiguidade, o Peixe representa a Era de Peixes do avatar Jesus, bem como a riqueza. Ter a oportunidade de juntar um "balaio de peixes" queria dizer: opulência, conquistas materiais.

Significa as coisas concretas, objetivas, que logram tomar conta de um corpo físico.

As moedas de ouro, em qualquer canto do mundo, significam um "meio de permuta" constante e eficaz.

Pode, também, mostrar quando alguma coisa é pertinente ao mundo material e não ao mundo espiritual.

Ainda representa a moeda financeira, o dinheiro.

Carta nº 35 – A Segurança

Na figura, vemos uma âncora, amarrada numa corda, transmitindo-nos a ideia de algo sólido, firme, seguro, estável.

Apesar da força do mar agindo sobre ela, vai continuar garantindo o seu espaço e seu lugar.

Pode significar, também, o patrimônio conquistado pelo indivíduo.
Bens de patrimônio é uma outra interpretação.
Representa a autoconfiança, a crença, a fé.
Ter confiança em alguma coisa ou em alguém, que não vai ter sua opinião e postura alteradas.

Carta nº 36 – A Vitória

Infelizmente, a figura da cruz ainda é relacionada ao castigo, pena, dor e sofrimento.
Ela simboliza o ponto de encontro, a vitória no Tarô Cigano.
O momento exato em que são alcançadas as metas, atingindo os objetivos.
É a "cruz do mapa do tesouro", que nos mostra onde ele foi enterrado e nos aponta a direção que devemos tomar para encontrá-lo.
É a melhor carta do Tarô Cigano. Tem mais força do que todas as demais cartas.
Esta carta nos estimula a continuarmos lutando por nossos objetivos e ideais, que, certamente, serão conquistados.